PLAZA & JANES

P & J

LITERARIA

Tristura

Elena Quiroga

Plaza & Janés Editores, S.A.

Portada de:
JORDI SANCHEZ

Primera edición: Diciembre, 1984

Editado por PLAZA & JANES EDITORES, S. A.
Virgen de Guadalupe, 21-33.
Esplugues de Llobregat (Barcelona)

Printed in Spain - Impreso en España
ISBN: 84-01-38039-1 - Depósito Legal: B. 39187-1984

A María Luisa Caturla

A mi marido

PRIMERA PARTE

I

La puerta del jardín se abría desde la cocina. Había un agarrador del que partía un alambre tenso, en diagonal ascendente, hacia la izquierda, donde el bosque de tamarindos. De tanto ver el alambre no nos dábamos cuenta, pero allí estaba, de allí partía, iba al bosquecillo —había una caseta de perro como una vivienda con teja curva, y la *Diana* sentada a la puerta, amarilla y blanca, con su papada redonda—, llegaba hasta la tapia, se filtraba entre las lilas volcadas, racimos malvas olorosos, y en invierno entre las raicillas y las hojas; de pronto, aparecía junto al portón de entrada, por el ojo redondo de una escarpia, anillando al tirador. El portón era rojoscuro, lo mismo que la sangre en las costras viejas, en él había dos batientes. Balancearse sobre la tarima del portón con el batiente abierto.

—No se juega con la puerta, Tadea; la puerta no es para jugar.

Del otro lado de la puerta, el paseo del Alta, el prado de Piano, el caminito pedregoso a Cueto: Monte y Cueto los dos pueblecitos delante de nosotros, con las casas esparcidas por los prados; muy lejos, se adivinaba Cabo Mayor, la mar. Cabo Mayor con una mar rompiente, espumosa, arremolinada. El faro. El faro era el latido de Cabo Mayor por las noches. Nadie dejaba de dormir porque la luz penetrase entre las rendijas, con un resplandor espaciado e igual. Había dos luces cortas, como la respiración de un niño, y luego un aliento grande que debía de iluminar la mar como un amanecer por la noche. El faro estaba mezclado a nuestras oraciones al acostarnos, a los ojos apretados sin dormir, al baño antes de cenar, al invierno. En verano, solamente en medio de la noche, al despertarme, notaba dentro del cuarto la respiración de la luz. Era mejor la oscuridad, porque la luz hacía brillar mi ropa blanca doblada sobre la silla, agrandaba sombras en las paredes, en el techo, barría las dos camas fronteras en donde dormían Clota y Suzanne. El cuarto tenía siete ventanales, los de los lados no se abrían nunca, y tres camas: dos camas de matrimonio, entrando a la derecha; un diván verdoso, enfrente, al pie de la ventana.

—Bájate de ahí

a la izquierda un mueble-lavabo con puertas debajo que tapaban el cubo, encima la palangana, una tarima de mármol rosa veteado, y el espejo. Pegado al lavabo, una cama estrecha, de barrotes de madera, desmontable, donde dormía yo: al lado, un tocador con espejo de tres caras, patas altas y finas, guirnaldas y flores en los cajones, talladas en madera. Tenía muchos cajones, y llave, pero yo no podía usarla, la usaba Suzanne; entre sueños, oía las vueltecitas de la llave y hacía un esfuerzo por despertarme y ver.

Las ventanas daban sobre la entrada del jardín con su guijo blanco, sobre la puerta. El batiente de la derecha tenía un ventanillo con rejas negras por fuera, y a su lado, en la esquina que formaba con el muro, pendía la campana negruzca de menos de una cuarta. Tenía un sonido destemplado, ni cristalino ni oscuro: en los días de sur cabeceaba, y la lengua se le agitaba sola, se le perdía el sonido —o quizá confusamente se distinguiera— entre los opacos turbios ruidos del viento.

El sur se arrastraba de abajo a arriba, sordo y pegajoso, no despojaba a las cosas ni las descarnaba, las percutía. El viento, en casa de mi padre, sacudía a los árboles tan altos; se colaba, vivo y silbador, por las junturas de las puertas, aireaba las revueltas de los pasillos, de pronto frescos y fragantes, entraba por la boca, dejaba las manos tan frías. Pero era el norte, arrastrando los olores de la tierra y del río, dulzón del abono de los animales, seco de paja, sobre todo el de los árboles, el de la corteza y los brotes menudos de los árboles que se olía sin querer, abriendo las narices, y entraba y te ocupaba. *El viento arrastraba la paja y la prendía en el pelo o la llevaba a sitios extraños, como el palomar, la capilla o la sala. Todo era todo.*

—Niña, ponte la chaqueta.

Cómo restallaban los árboles, cómo se hinchaba el Sil. Las mujeres se apretaban los pañuelos y decían, mirando hacia el fondo:

—Barre la lluvia.

El sur barría el aire con su mano caliente, densa. Todo tan limpio, como si hubiesen pincelado el paisaje o no hubiese hombres y mujeres para mirarlo.

—Mira Pedreña, ¡qué bien se ve todo hoy, desde aquí! La Horadada, las Quebrantas...

Era una magia.

—Hale, a jugar.

Jugar era un deber, tenía sus horas.

—¿Qué dejáis para cuando seáis viejos?

—Con el agua de lluvia crece el pelo.

—A correr para entrar en reacción.

Ni siquiera entonces el jardín era nuestro.

—A tomar el aire —decía tía Concha, asomándose a la barandilla de la escalera—. ¿Qué hacen esos niños que no toman el aire?

Suzanne nos apuraba:

—Hale, hale, ¿no oís a mamá? A tomar el aire. Con cuidado, sin meter ruido. Tadea...

Bajábamos por la escalera de servicio hasta el sótano.

—Que no tenga yo que enfadarme luego. Portaros bien.

Mirábamos hacia la puerta.

—Yo iré en seguida, subo por la chaqueta.

Alguna vez bajaba más tarde, con la cara hosca, y una redecilla en el pelo, daba los «cien pasos» como decía ella.

Ana la acompañaba. Suzanne protestaba: el viento, estar allí, se despeinaba.

—Vuelvo en seguida.

Pero al regresar a casa íbamos antes a recogerla en el invernadero. Estaba sentada leyendo. Seguíamos a Ana que nos conducía allí. Entrábamos en la casa como si viniéramos todos juntos desde los plátanos, Suzanne sonreía y se frotaba las manos.

—Le gusta sentarse para leer novelas —decía Ana. Bajaba la voz—. Tú márchate, Clota.

Clota protestaba.

—No son conversaciones para ti —insistía Ana—. Eso que bueno, quédate.

Me susurraba:

—Es capaz de contárselo a mamá, si no.

«Es capaz de contárselo a tía Concha», aunque no sabía bien qué.

—Tiene un novio en la Argentina, por eso aprende español, para cuando la llame para casarse. Se escriben muchas cartas.

Odón preguntaba:

—¿Las has visto, di?

—Se le cayó del bolsillo. Decía... —miró a todas partes—. *Mille baisers.*

Separaba las palabras, mirándonos.

—Y firmaba: Henry. Se llama Henry.

Odón tenía un ojo desviado hacia afuera. A veces se le desviaba más. Clota se comía las uñas.

—Tú eres tonta, como Tadea. Sois tontas las dos, no sabéis manejaros.

Clota decía:

—Qué gracia, tienes dos años más. Cuando yo tenga diez años.

—Yo a los siete y a los ocho, bueno... Las dejaba hablar y luego

Con mucho sigilo:

—No hay que llevarles la contraria.

Camino del invernadero con sus tiestos de ficus, cosmos, amor de hombre, pensamientos. Los pensamientos amarillo-morados, con la cara aplastada. Estaban los tiestos en estantes de madera pintada de verde, había en torno herramientas de jardín, podaderas, tijerones y las carretillas. Suzanne nos despedía en la puerta del sótano, bajando la voz:

—Allons, faites vite.

Cerraba la puerta casi pillándonos las mangas porque empujaba el viento. Había dicho:

—Ana... —levantando el índice. Tenía unas manos delgadísimas y cortas. Ana hizo que sí con la cabeza.

La puerta cerrada a espaldas nuestras, nosotros solos, el jardín desconocido y profundo. Nos reíamos, mirándonos, pero éramos los mismos sólo que riéndonos y asustados; empezábamos a correr —entrar en reacción— hacia la explanada de los plátanos.

En los macizos donde había rosas el viento sacudía las tablillas. Negro y amarillo sobre nosotros. Los bancos, qué raros los bancos empolvados donde saltaba el guijo. Ladraba la *Diana*, siempre presa, el ladrido ahondaba el sur. Blanco, gris, verde, pardo, nuestras botas de colegial con ojeteros y cordones que arrollábamos a la caña. La glorieta, el pozo, corríamos por los senderos estirando las chaquetas sobre nuestros hombros como alas jaspeadas, la sangre corría también, se calentaba, se apretaba en los labios, latía en la yema de los dedos. No atravesábamos nunca el césped, de pronto amarillento, de pronto consumiéndose bajo un cielo cargado de amarillo y de negro, un plomo refulgente que no he visto en ninguna otra parte nunca más. Era el sur.

Nos embalábamos hasta los plátanos a carreras con el viento, quitándonos las chaquetas cuando no podían vernos desde la casa. Nadie miraba.

No era el camino de todos los días con las hojas a su caer y la tierra alisada, ni el pasadizo de ramas entrelazadas bajo las cuales jugábamos al truquemé o a guardias y ladrones, con Suzanne en el banco curvado de listones verdes al pie de un plátano, calcetando, corrigiendo nuestros deberes, o leyendo un libro o sus cartas; era viscoso, hueco, amenazante. Ana decía:

—Qué lata, no se puede jugar
aunque intentaba con un canto hacer cuadrados sobre la tierra y ponerles número; se le caía el pelo liso y marrón sobre los ojos, se echaba hacia atrás la ancha cinta de terciopelo marrón.

—Clota, no seas tonta.

Odón se tiraba sobre el banco todo lo largo que era y no nos dejaba sitio.

—Gandul —decía Ana—, que eres un gandul, no ayudas nunca.

Entrecortado por el viento, Odón decía:

—Mandona.

A Ana los ojos se le hacían pequeños.

Con sur no había juego de pisar la raya porque las deshacía, la tierra las tapaba y nunca más sabrías si habías puesto el pie sobre una o no, pero una alegría enorme, enorme, ganas de ir aplastando rayas, desbaratando hormigueros, romper gusanos con el filo de las botas en dos, los hormigueros dejaban de ser hormigueros para ser hormigas, eran una hormiga y otra y otra, y nuestras botas destrozándolas.

—Cierra la boca...

Quería gritar o cantar, se me ocurría entonces, por fin no había rayas que no pisar, ni cuadrados numerados saltando sobre una pierna, ni comba, ni buenos ni malos.

Se hablaban por señas. Ana y Odón lo hacían con los dedos, de una manera vertiginosa, se sofocaban por la risa, a mí me parecía que hablaban de nosotras, Ana hacía cosquillas a Odón para que le dejara sitio y todas ayudábamos.

La boca carnosa y morena de Clota, la boca ancha y rajada de Ana, a Odón apenas se le veía el labio de arriba, no sabía silbar, no era como mis hermanos que, en la aldea, silbaban, un sonido agudo y perforador. Pero aunque no le saliese el silbido le salían los gestos certeros, también a su hermana, me decían:

—Tú. Tú
apuntándome al pecho con el dedo, como si el juego de entonces fuese no hablar, yo tenía vergüenza de las señas.

Las señas eran hacerle una trampa a alguien que podía escucharnos y no oír, que estaba entre nosotros o en nosotros, allí mismo, no sabía por dónde, no era nunca posible quedarse solo del todo, y si fuera Dios pensar que se había vuelto sordo y asombrarse el oído eterno.

Odón metía la lengua debajo del labio de arriba, sobre la encía, lo abultaba, bizqueaba, bamboleando la cabeza, encogiéndose y arrastrando los brazos por el suelo. Nos reíamos. Nos pegábamos. Nos pegábamos porque sí. Porque nos escocía la fuerza, porque había ganas de chillar, de cantar, y no se podía, porque no había juegos y había Ana en el mundo amarillo sin palabras poblado de gestos, solos y con miedo como si nos volviésemos animales.

Luchábamos de verdad pese a los empujones del viento, dejaba de oírse porque estábamos enlazados y nuestro resuello lo llenaba todo, nos ahogaba. Yo era más fuerte que Odón, pero Ana nos podía a los dos aunque empezásemos ganando, tenía por dentro cuerdas tirantes que la sostenían, vencía al final.

—Son los nervios —dijo Odón jadeando—, no tienes bola.

A Ana se le llenaron los ojos de lágrimas, sin más.

—No es verdad —dijo—, no es verdad.

Me dio pena aunque había ganado.

—¿Qué te importa?

Me agaché a mirarla y me soltó una bofetada rápida.

—Vete con tu padre —el viento le comía palabras; apretaba los labios—. ¡Déjanos en paz! ¡De una vez!

Odón dijo:

—Si se entera la abuela...

Miró hacia la terraza, pero Ana me sacudía por los hombros y el pelo se le enredó en los dedos, que me caía por la cara.

—Ésta no es tu casa.

Cerré los ojos con toda mi alma mientras la mordía.

No oímos la campana, no había horas. Horas era recto, esquinado, con paredes en lo ancho, tropezabas, no te podías librar, pero entonces no había horas porque había sur, había nosotros mismos desatados.

Casi no me salía la voz:

—Vete a contarlo.

—¿Qué te has creído? Asquerosa.

Odón la acompañaba al pozo, Clota me volvió la espalda. Era cargada de hombros, Clota. Tenía morrillo como los terneros.

Me senté en el banco, me puse la chaqueta. Me senté en el banco y miré hacia las hojas del plátano, encima de mí, con la cabeza atrás en el respaldo. Donde habíamos peleado quedaba la tierra mazada, removida, el silencio brutal. Clota se alejaba. Las hojas eran grandes, verdes, se doblaban con el viento, las hojas... (El viento me temblaba en los labios. Era el viento.) Sentí a Odón venir a recoger la chaqueta de sus hermanas. Me dijo entre dientes:

—Buena las has puesto.

La hoja temblaba. Las hojas de los árboles. Árboles, la Deitada, vivían caballos salvajes, qué diría Odón si se lo contaba —repetir salvajes para una sola, para dentro—, me habían explicado que eran caballos en libertad, yo los había visto agarrada a una mano áspera y templada, seca de hoja —tenía que pararme, cerrar los ojos para dejar pasar lo que ahogaba— no sabía qué mano. *Bajaron a beber en manada con las crines negras batiéndoles el vientre. La Deitada se veía desde casa.*

—Hazte a un lado, quieta.

...unos relinchos que ponían el corazón de pie como si la tierra gritara; una niña podía sentirse llena de silencio, viendo las grupas juntas como una fuerza brillante irremediable, en la región del silencio, mientras se aquietaban y se dispersaban para beber en el torrente, no se sabía si la espuma era del agua o de los belfos. Levantaban la cabeza, relinchaban. Los potros corrían junto a los caballos que volvían la cara buscándolos. Les hacían sitio para el agua.

—Cuando vienen así, pueden arrollarte.

Junto a un árbol, un caballo madre lamía con una lengua grande verdosa los lomos de su potro. El potro se revolvía buscándole la garganta, la hocicaba. No se podía pensar.

—¿Qué hacen con ellos, Tina?

—Nada. De veces los cazan.

El Titán *de casa que montaba Jenaro, y nosotros, era hermano de aquéllos.*

—No es verdad.

Me reía porque me estaban mintiendo.

—No es verdad.

—Así me salve, lo es. Y todos los que ves por el pueblo.

¿Qué caballos veía por el pueblo? Crines pobres, miradas sometidas, uncidos, coceando a las moscas.

—¿Tú crees que se va a estar siempre así, a la querencia? Ya aprenderás. Ya aprenderás.

Me metía los dedos entre el pelo, riéndose.

—Estas crines... poco van a durar en la otra casa.

Tina decía la otracasa como si fuese una sola palabra, como si formase un cuerpo.

(—Así —decía tía Concha— ves qué bien estás así, como las primas.)

Se volvía a la profesora.

—Mucho más limpio, se pierden horas.

—Oh, por las noches era una eternidad.

Me divertía el fresco de la tierra en el cuello, y el fresco de no sentir pelo.

—Mírate ahora.

Vi mis ojos curiosos, empinándome para alcanzar el espejo ovalado con marco blanco, y el pelo terminaba en las orejas.

—Oh —dije. Y me reí.

(No miré el pelo caído sobre las baldosas que Dora escobaba.)

—¡Tadea! ¡Tadea!

...caballos salvajes, lavanderas que gritan en el río, el jabón se escurre hasta hundirse en el agua que se pone jabonosa y con gorgoritos, pegándose con las tablas acanaladas por el jabón, niños se tiran barro delante de la verja o le hacen pis al río. La verja siempre abierta que Flaminio cerraba al anochecer, a veces se le olvidaba.

—Flaminio, ayer estaba la verja abierta.

La voz de mi padre. Me tapé la cara con el brazo doblado.

—Y luego a la mañana estaba cerrada, señor.

—La cerré yo mismo.

Apretando los ojos contra el brazo se veían estrellitas rojas, pequeñísimas centellas que se disparaban a todas partes. Y algo azul.

...una niña podía ver terneros, acompañar a Eustaquio cuando los llevaba a beber al río, le daban una vara para golpearlos entre los cuernos si mochaban o hacían cabriolas, ver ordeñar las vacas, estar agachada escuchando lo que decía Eustaquio, u ordeñarlas con aquel calor cremoso de la leche entre los dedos hacia el cubo, los ojos húmedos y tristes de las vacas reciénparidas, tirarle piedras al río, piedras al viento norte, salir a empaparse de lluvia.

—¡Tadea!

...chocleando en los charcos, pedir que le hicieran una capa toda de paja, como una cabañita andante y vagabunda, igual que la de los hombres que bajaban del Castro. En aquel lugar había que conocer las cosas, no saberlas, era diferente. Era diferente... Hombres bebiendo en la cocina, no se entendía lo que decían, daban alegría y calor, niños entrando y saliendo de la cocina o estando. Apretar los ojos por aquellos niños. Las mujeres mansas, cremosas, calientes, como la leche entre los dedos, con los ojos de las paridoras.

—¿No oyes?

—Que tenemos que entrar todos juntos, todos juntos.

—¿No oyes?

No las miraba. Se podía vencer y perder. Se podía preferir el castigo.

—Daros un beso.

II

Los plátanos estaban al final, pasada la explanada, pasado el ancho césped, altos setos de boj tupido, y los plátanos. Eran copudos, gordos, abundantes, con ramas abriéndoseles, cruzándoseles, en doble fila. Tres bancos verdes de listones de madera, rayados contra el boj, se iban cosas entre las rendijas. *En la aldea los bancos eran de piedra, no se podían mover según diera el sol, sin cortar de la tierra.* En esta ciudad de la Montaña, siempre buscándolas al fondo de los prados o de los tejados, estaba el praderío verde y liso, con las vacas de Piano, los pueblos frente a la casa abultándose, nada más que un poco, hacia la mar. *En la aldea teníamos al lado la Deitada con árboles profundísimos, y tojo, esquilme, escocían las piernas, aquella mañana sola desprendida, desguazada de las otras montañas unidas por los lomos, la Deitada. Desde la ventana de mi cuarto altos monteshombres, azuloscuro y blancos en invierno, pizarrosos con crestas empinadas, a dentelladas con el cielo, cuando la helada ponía una costra dura, cuajada sobre la tierra.*

En esta Montaña, en cambio, había tierra lisa y prados. *Leontina había dicho, estirando la cabeza:*

—Porque es Castilla.

Y después:

—*Montañesa de Castilla*
para hacerme rabiar, no sabía por qué, lo mismo que Odón y Clota decían:

—Gallega,
cuando nos enfadábamos.

Ana decía:

—Gallega
despacio, dejando escapar las palabras gota a gota, como si fueran a quemarme.

Yo no sabía de dónde eran ellos ni nadie, nunca se me había ocurrido preguntar. *En los bancos de piedra podías apilar piedrecitas, y flores, nadie te decía nada porque arrancases la flor y la apilases allí, y botones, cachos de vidrio, un pedazo de goma.*

—No manches el banco —decía Suzanne, sin levantar la cabeza.

...entraban niños por las verjas abiertas, se acercaban a tu banco, se ponían a mirar, tapabas de prisa de prisa, con la mano, todo aquello, el niño se quedaba de pie, con el delantal remangado y la cara escocida, volvías a sacarlo todo, uno a uno, extendiéndolo en el banco, mirando a los ojos del niño para ver el efecto, el niño miraba. Lo poníais juntos, cogíais tierra con las manos, y, para amasarlos, ibas por agua si la saliva no bastaba, que os secabais de escupir, escupe, escupe, no decíais de dónde eres, ni cómo te llamas. Era de allí, se llamaba como tú, ni ocurrirse preguntarlo. Os secabais las manos en el traje.

—Buena te has puesto, chiquilla del demonio. Ven acá, no te sientes así a la mesa.

En casa de la abuela prohibido jugar con tierra y con agua, prohibido hablar de madres y de niños, mirar a la *Diana.*

Suzanne decía:

—No manches el banco
sin mirarte, lo mismo que se repiten cosas de memoria.

—¿Dónde vas? Se juega en los plátanos.

Dondevás eran caminitos que arrancaban de allí, tantos, caminos de jardín, pero caminos: el del pozo, el de la glorieta, el que pasaba ante el ancho césped frente a la trasera de la casa, con su gran magnolio, el de las dalias, el que llevaba a casa de Venancio, el del estercolero. Para acabar en casa de Venancio el camino se ceñía al bosque, había bolitas duras anaranjadas, con ramas espinosas.

—No os las llevéis a la boca, es veneno.

Me guardé algunas en el delantal, las reventaba entre las manos, dejaban las manos ásperas.

La casa de Venancio se veía también desde el cuarto de estar, o desde nuestro cuarto, asomándose mucho. Las puertas metálicas abiertas del garaje, se entraba por allí, con la manga de riego más gorda que la del jardín, con un pitón muy largo, al fondo una escalerita fregada, a la derecha una mesa de carpintero llena de heridas blancas de navaja, con una prensa negra en su extremo. Puse el dedo, Venancio dio vueltas de prisa al torniquete grasiento que se cerraba, se cerraba, estaba con la boina puesta, como siempre, sin levantar la cabeza, pero con la boca reída.

—Deja a la niña.

Pura se asomó a la puertecita donde tenían aquella cocina tan pequeña que daba gusto. Venancio la miró y volvió la cara. Pura tenía las crenchas blancas a los lados, se frotaba las manos en el delantal, con los dedos de sabañones, parecía defenderme de algo.

—Anda, vete con los otros

pero era a Venancio a quien miraba, que se volvía de espaldas, muy pesado, cargaba sobre el pasamanos de la escalerita.

—¿Puedo ver tu casa? Di.

Venancio se volvió, rápido. Me hincó los ojos pequeños, taladrantes, claros.

—¿También eso?

—¿Qué culpa tiene la criatura?

Di media vuelta y fui donde había habido caballos, al final del garaje, sin puerta alguna. Estaban aún los pesebres, aún tres argollas negras grandes en la pared, aún hasta paja.

—Vete, anda, van a reñirte si te ven por aquí.

El gallinero con una alambrada alta, y la tapia. Contra la tapia la escalera.

—Baja de ahí.

El paseo del Alta.

—Anda, que puedes caerte. Baja.

El prado de Piano, el camino...

—Tadea.

No levantaba la voz, no iba a gritar. Miraba.

—Baja, no me busques un compromiso.

Suplicó:

—¿Saben que has venido aquí? ¿Saben que estás con nosotros?

Aguantó la escalera mientras bajaba.

—No está nunca en este sitio —se reía con esfuerzo, mirando hacia el balcón de arriba de su casa—, la habíamos posado, qué casualidad, estábamos limpiando, no lo vas a decir, ¿eh, Tadea? Tú eres una niña muy buena, no lo vas a decir a nadie. Fue un olvido.

—Venía Millán.

—Ah, venía Millán —quitaba la escalera de la tapia—. Viene de su trabajo, el señorito tan bueno le colocó en la compañía del Gas.

Tumbó la escalera sobre la tierra, frente al gallinero. Se oyó la campanita. Dijo, sin enfado:

—Márchate.

Millán venía por el asfalto frente al garaje, con su traje gris, su gorra gris, los ojos tan juntos. Venía abriéndose los botones de arriba de la camisa, bajo el otro brazo apretaba una cartera negra de fuelle. No le había visto nunca reírse, no se paraba a mirarme, pero al decir «Ah, Millán», Pura había apretado un poco la escalera contra ella.

—No hables con las muchachas. No vayas a la cocina. ¿Qué tienes que decirle a Mariano? No tienes que meterte en las cosas de los mayores. ¿Por qué miras? ¿Qué estás escuchando? Una niña no escucha, no mira a los lados. ¿No tienes a tus primos para hablar? Juega. No hay que tener las manos desocupadas. A correr, a la comba, jardín entero para vosotras, no salgáis de los plátanos, puedes correr y jugar a lo que quieras —¿qué hacen las niñas frente a las dalias?— las niñas no están solas, las niñas no hacen apartes, todo lo que se habla se puede decir delante de la profesora. En todas partes te ve Dios. En los plátanos, en los pasillos, en la cama. Hasta cuando estás dormida está Dios, no hay que tenerle miedo a nada. Las muchachas con las muchachas, las niñas con las niñas. ¿Qué tienes que ir donde está la *Diana*? Los niños no andan con los perros. Deja a la *Diana*. Todas las horas del día ocupadas, la imaginación es mala consejera. La imaginación es mala consejera. La imaginación es mala consejera. No se echa una así sobre las cosas. Se anda despacio. Buenos modales. Sin forzarse. No levantes la voz. No levantes la voz, no somos sordos. Articula, que la abuela no te oye. ¿Ahora qué te pasa? No se llora. Se traga una las lágrimas. Vergüenza. No se puede andar así, exhibiéndose. Pudor. Pudor. Pudor.

Pudor servía para las lágrimas, servía para las faldas. —Tápate las rodillas. No cruces las piernas. Las piernas juntas. En un crimen supieron quién lo hizo porque abrió las rodillas, porque juntó las rodillas, abrió las rodillas, un cuchillo. ¿Y qué, la oscuridad? No pasa nada. Aquí no hay ladrones. ¿Qué te van a robar? Conciencia tranquila. (¿Qué? Juan, una cara en los cristales, en los cristales de la salita. Hijos míos... Juan, no vayas solo, espera a que venga Mariano, no vayas sin un arma.) No toquéis la escopeta, que es de Venancio. ¿Hay dos? ¿Cómo sabes, Tadea, que hay dos? ¿Dónde las has visto? Que venga la niña, que explique dónde estaba la otra escopeta. ¿Qué hacías en el invernadero? ¿Quién te mandó ir al invernadero? ¿Con qué permiso? ¿No te llega el camino de los plátanos? Bueno está Venancio contigo, sabe que te has metido en sus cosas. Tú, a jugar. Para que lo sepas, era de Millán, no andes contando fantasías, era de Millán, acompaña a su padre a matar pájaros. La cabeza a pájaros. Disciplina. No hay por qué tener armas, basta la conciencia. En presencia de Dios. ¿Has rezado tus oraciones? Mademoiselle Suzanne, ¿estas niñas rezan antes de empezar cada clase? No saltes así, ten compostura. Hay que volver a empezar desde el principio. Va allá y en dos meses lo estropean todo. Hay padres... ¿Qué escuchas? No me gusta que andéis solos por los pasillos. En el cuarto de baño no se tarda: haces lo que vas a hacer y sales. No te mires al espejo, un día te va a salir el demonio. No existen brujas, existe Dios. Ignorancia. Ignorancia. No cruces las piernas, que la Virgen llora. Estás haciendo llorar a la Virgen. No hay hombres del saco ni ladrones ni tonterías. A nadie le importa lo que tú piensas. Pudor. No pongas esa cara. A nadie le importa... Que la abuela no se entere, le sube la tensión, se puede morir. Tú serás responsable si le pasa algo a la abuela. Cristo ha muerto por ti. Mírale bien la sangre, las llagas, la herida del costado, la corona, tú se lo estás haciendo, a cada instante. Para ver a tu madre, ganar el cielo. Qué tranquila, pobre hermana, bien merecido lo tiene. De once a doce, juego. Algún día pensaréis en estos años como los más felices de la vida, sin penas, sin preocupaciones, algún día os acordaréis. De once a doce, juego. No se habla mal de nadie. No se mete uno en la vida de los demás. A nadie le importa. Respeto a cada uno. Te prohíbo que hagas esas preguntas, te prohíbo que hables de esas cosas con mis hijos. A nadie le importa. Métete eso en la cabeza: a nadie le importan las cosas de los demás. El verbo querer no existe. Una niña no piensa. No levantes la voz. Nadie te pide explicaciones. No quiero explicaciones. La letra con sangre entra.

Bajaba la voz en la palabra sangre.

—No te has hecho nada, agua de golpes, nada. Ya está. Corre, a jugar otra vez (Clota se ha hecho daño, ¡hija!, no va a clase porque se ha caído. Se queda con su mamá. Ven, Clota. ¿Duele mucho?), no alborotes de esa manera, escuece y nada más. Lo que pica, cura. Una niña tan fuerte como tú, acostumbrada a la aldea, cuántas veces te habrás caído. El yodo escuece, nada más. Pudor.

Pudor tenía que ver con sangre, con dolores, con alegrías.

—Tu pobre madre...

Bajo:

—Una niña sin corazón. Nunca habla. No pregunta de su madre. Sin corazón.

—La está oyendo.

—Los niños no se enteran, no sabe que es de ella. Preocupación constante, créame. ¿A usted tampoco la pregunta? Aquella pobre hermana...

—Tadea. ¿Qué has hecho? Has atravesado la página.

—¿Crees que los cuadernos no cuestan? ¿Crees que un lápiz es una escoba? Trae que le saque punta.

La punta del lápiz. Pensar en la punta del lápiz. Una vez había un lápiz... Nada más.

—Ahora tendrás que repetirlo, esa plana así no se le enseña a nadie. Vosotros, a jugar. Tú te quedas copiando hasta que acabes.

Había un lápiz... Suzanne me levantó la cara.

—Mírate.

Con un pañuelito finísimo, arrugado en bola, me secó la cara; el pañuelo se llenó de carboncillo de lápiz. Me reí, sorbiendo. Dijo:

—Ce n'est pas facile, Tadea.

Se puso a peinarse delante del espejo. Tenía el cabello negro, muy crespo. Inclinaba la cabeza a un lado y a otro.

—La savane est belle, mais a quoi bon le nier...
el pelo se le ponía eléctrico al pasarle el peine. Bostezó delante del espejo, se estiró, dijo:

—Oh, toi —sacando los labios.

El demonio en el espejo. Lucifer. ¿Hablaba Suzanne...? Pero debía de ser terrible y dulce para ella, por aquella voz oscura, caliente, desconocida.

—¿Qué te parezco?

No me miraba a mí, estaba como encendida, cara al espejo.

Dije:

—Tiene pelo de negra.

Se volvió. Debía de ser desagradable el verme, le subió como un eructo a la cara.

—Tiene razón tu tía. —Cogió la chaqueta al pasar—. Ce n'est pas la peine.

III

Venancio andaba con la carretilla llena de tiestos por el jardín adelante. Con una pala pequeña hacía un hueco en la tierra y metía la flor con tierra y todo. Una tierra que había estado en invierno recibiendo sol a través de los cristales, que se hundía entre la tierra más dura, más oscura, del macizo.

—Allí no tenemos invernadero. Recogen las semillas en unos saquitos, yo ayudaba a cogerlas a Jenaro, y se siembra.

Venancio no escuchaba. Seguía apelmazando la tierra con la pala.

—A las flores allí no se les quitan las hojas secas.

Me miró como si le hartara.

—Las hojas secas...

—¡Venancio!

Francisca se asomaba a un lado de la terraza, no alzaba mucho la voz, pero Venancio se enderezó para escucharla.

—Que lo hagas a otra hora que no estén los señores en la terraza.

Venancio se echó atrás la gorra sin quitársela del todo, nunca se la quitaba del todo; volvió a calarla. Cogió la tijera, la pala y el rastrillo en la carretilla con los tiestos que quedaban, y se fue hacia el invernadero.

—El pobre.

—¿Quién?

—Venancio. A recogerlo todo.

—¿Dónde? —preguntaba Clota—. ¿Venancio? como si fuese transparente y sólo yo lo viera.

—Estaba plantando los pensamientos.

Con su camisa sin cuello, entreabierta en verano sobre un pecho con pelos grises, lacios. Se paraba y fumaba. Liaba el cigarrillo con los dedos, lo chupaba con una lengua gorda, se lo ponía en la esquina de la boca.

—*Si fumábamos hojas.*

—*Como os pesque otra vez, se lo cuento a vuestro padre.*

Venancio escondía el pitillo si se acercaba alguien, o si se asomaban. Lo metía entre el boj, o lo pegaba bajo el brazo de la carretilla.

—Me cago... —decía.

Luego le daba varias chupadas seguidas, o volvía a encenderlo.

Nos columpiábamos en la cancilla de la huerta.

—Estaros quietas.

—¿Por qué no podemos jugar en la huerta?

—Es de Venancio.

—¿Pero Venancio no es de la abuela? ¿No es todo de la abuela?

—No sé. Venancio se enfada.

—Niñas, qué estáis haciendo. Dejad esa fruta.

Frutas caídas sobre la hierba, al pie del árbol, maduras y picoteadas.

—Si no cogemos nada, está caído.

—¿Quién la ha mordido?

—Los pájaros.

Venancio pasaba recogiendo fruta en la carretilla.

—No toquéis lo que no es vuestro.

—La llevan a medias —había dicho Ana.

Pero la huerta era brillante, con sol que no llegaba a través de los plátanos.

—El placer de lo prohibido, ¿por qué habéis de ir a jugar allí, teniendo esto para vosotros?

—Era Tadea.

—Los niños no tienen nada que hacer en la huerta.

Ciruelas sin lavar, fruta entera escurriéndose, fresas entre las hojas grandes, tan escondidas.

En los días misteriosamente calientes en que el sur acercaba el paisaje del fondo, se abría la cancilla de par en par como quien abre una ventana. Corríamos entre los árboles, a lo mejor llenos de flor menuda que nos venía encima, a lo mejor cargados de fruto, o rodando por el viento lo caído en los senderos. Odón les daba con la bota como si rodase un balón, se reventaban. Había sulfato junto al pozo, cacharro para darlo, la tierra embarraba las botas, había la tapia. Se podían correr caminos prohibidos, con el viento en la cara, con aquel largo, oscuro, profundo quejido en las orejas, ir hasta el ancla, tocarla.

—Es la del *Machichaco.*

Nos quedábamos quietos. El ancla enorme en medio del macizo de fresas, con un arpón al aire, hundida hincada allí. Nos asomábamos a la tapia, subiéndonos sobre las piedras, la tierra húmeda empantanada, la ciudad de tejados, el humo de las chimeneas, ropa colgada, a lo lejos el mar de la bahía, un barco carbonero siempre anclado. Tocar el ancla del *Machichaco* dejaba orín, escoria, un enorme deseo de explosión.

—Ana lo va a contar.

Clota y Odón se miraban como si no supieran qué hacer sin tener a nadie delante, como si la huerta pegadiza, habitada del olor penetrante, que habíamos visto desde la cancilla soleada, jugosos los cuadrados, encerrase algo. Estaban más contentos en los plátanos.

—Vamos al pozo.

Íbamos con cuidado, asomándonos.

—Estará Mariano —decía Ana—, a lo mejor están Mariano y Dora.

El pozo estaba en una región para él, circular en torno, una pared de boj que hacía a la tierra una celda en tubo. Y el pozo.

—Ana —decía Ana, volcándose hacia el fondo.

Nos inclinábamos en círculo, apiñadas las cabezas. A su voz clara, alta, contestaba un rumor.

—¿Oyes? Ha dicho Ana.

Aguas verdosas, aceitosas, con residuos negros, qué lejos, el fondo. Retumbaban las palabras.

—¡Clota!

Se reía tanto al decirlo, pequeños estampidos, rumor oscuro que iba a arremolinarse allá, a perderse al fondo, donde las aguas pesadas.

—Más alto.

La voz pituda de Odón, aquel esfuerzo. Le ayudábamos todas.

—Odónnnn.

Y Odón subía desde el fondo.

A mí me hubiera gustado gritar más nombres, pero había los otros escuchando.

—Tadea...

No reconocía mi voz jamás.

—Ahora con los ojos cerrados.

Nos cambiábamos los nombres. Clota y yo decíamos Ana; Ana, muy alto: Tadea; probábamos a hacer mentir al pozo. No era la voz, pero sí el acento. Odón se equivocaba. Con los ojos cerrados adivinar quién decía un nombre que no era el suyo. Abrí los ojos y vi que Ana nos miraba de reojo a los labios.

El pozo se cubría con una tapa de madera encajada en la piedra, nos costaba colocarla entre todos. En verano olía a corrompido, nos rechazaba al asomarnos; en primavera salían hierbecillas y en las paredes redondas tufos de florecitas lilas. Cuando empezaba el invierno subía una bocanada húmeda y helada, como si el frío estuviese abajo y fuese a subir apoyándose en las paredes. El fondo se hacía sólido, el aliento fumaba al inclinarnos.

—¡Pozo!

Dolían las rodillas contra la piedra. Las teníamos abiertas, resquebrajadas. Agua hirviente, estropajo por las noches con los pies en un balde, las rodillas se punteaban de sangre; Dora nos untaba con glicerina. Se pegaban a las sábanas. Un día iría sola a gritarle al pozo.

—No digáis que estuvimos en el pozo.

Como me echo en esta cama
me echaré en la sepultura.

Un tubo redondo, redondo profundo. Un ruido, ¡paf!

—A la hora de mi muerte

Ana había hecho trampa. No sabía la lección de mañana. Escocían las rodillas

Amparadme, Virgen pura.

Mañana, al despertar, estarían curadas sin romperse ni mancharse, durante el día volverían a abrirse.

La luz del faro, la tenue luz rastreándonos. Uno, uno, dos. Uno, uno... Ana y Odón haciéndose señas. Uno, dos... Cuando Suzanne apague la lámpara del centro estaremos barridos de luz. Suzanne está escribiendo. En cuanto nos mete en la cama escribe.

—¿No duermes, Tadea? Te doy cinco minutos para dormir.

Se ponía de espaldas, apagaba la luz de arriba, enganchaba en el reborde de la mesa una tulipa verde con pinza. Aquella luz pequeñísima sobre su mano, iluminando el bajo de su cara. Apoyaba la cara en su mano. ¿Cuánto tiempo?

La luz del faro, entonces; la luz llegando segura, latiendo entre nosotras, allí mismo.

Pero la bombillita de la tulipa... Suzanne se levantaba, no cerraba el sobre, lo llevaba al tocador, tan cerca, al lado mío, yo apretaba los ojos. El ruidito de la llave. La sentía alejarse. Empezaba a quitarse la ropa.

—Vuélvete del lado de la pared.

En la pared, un resplandor azulamarilloblanco intermitente. Uno, uno, dos... En la pared, la sombra de los brazos moviéndose, de una ropa fantástica. Uno, uno... en la pared.

IV

—Ven aquí, ven, que te voy a dar un caramelo.

Me llamaba desde la puerta abierta de su cuarto, en el tercer piso, donde dormíamos niños y muchachas.

—Ven, chiquilla.

Tomasa sonreía, me daba asco.

—¿Tú no conoces mi cuarto? Tengo yo una cosa para una niña... En aquella otra cama duerme Obdulia. ¿Ves que guapo?

Revolvía en una cómoda, no sabía el qué.

—Un caramelo para ti, vas a ser muy buena. ¿Te gustan los caramelos?

Se sentaba.

—Ven aquí mujer, que vamos a hablar tú y yo.

Era un canapé peludo, que no tenía brazos por un lado.

—Antes de que suba Obdulia, te voy a decir un secreto.

Hablaba bajo, miraba hacia el montante entreabierto sobre la puerta.

—Ven acá.

—Tenía debajo de los brazos unos redondeles de sudor en la bata. Me preguntaba en la oreja mismo:

—¿Has visto a Dora?

Yo respiraba tranquila, de pronto sin miedo.

—¿No has visto a Dora? ¿Sí? ¡Deja ahora de chupar eso! ¿Dónde la has visto? ¿Dónde estaba?

—...abriendo nuestras camas.

—Idiota. No digo eso.

Me sacudía un poco. Volvía a atraerme.

—Ven acá, que tú eres muy lista. Una niña muy lista. Nadie te quiere como yo, nadie te quiere en esta casa.

Tenía los brazos blandos mantecosos.

—¿Ahora dónde está?

La miraba. Me gritaba sin alzar la voz:

—¿Dónde está ahora? Escucha...

Había, también, un lavabo, también una palangana. Había muchas batas moradas colgadas del perchero, detrás de la puerta. Olía.

—¿Qué miras? Mira acá. ¿Me haces un favor? ¿Quieres hacer un favor a Tomasa, que tanto te quiere, que es la única que te quiere en esta casa?

La puerta tenía un montante de cristal; se tiraba de una cuerdecita.

—Guardo los caramelos para ti. Los voy comprando y los guardo para ti. Me los dan en la tienda. No se lo digas a los otros, que todos vendrán.

Me pareció de repente que yo había visto a Odón salir por aquella puerta.

—...y en el sótano miras a ver si está Dora, y con quién está —grandes las niñas de los ojos, gotas de sudor sobre la boca—. Nada más que eso, ya ves qué cosa más fácil, sólo eso para contentar a Tomasa... No le digas que te lo he dicho, es para una broma, sabes, quiero hacerle una buena broma. Tú, vas bien despacio, te cuelas por allí, por lo oscuro.

El cuarto parecía apagarse.

—¿Sube alguien? —hablaba más de prisa—. En la carbonera, mira en la carbonera, por favor, por favor.

Me rechazaba, rápida.

—Guárdate el caramelo.

Me separó de ella, se tiró a la puerta, la abrió.

—Y no tiene nada que ver mi cuarto, curiosona —alto, destemplada, como siempre cuando estaba en la cocina. El caramelo en mi mano apretada dentro del bolsillo del delantal. Suzanne no nos miró. Subía tan ligera con las manos en los bolsillos.

Desde el descansillo vi a Tomasa: cruzaba hacia el retrete donde estaba el aljibe, iba sin medias, las piernas sonrojadas. Al llegar a la altura de la cocina, antes de seguir bajando hasta el sótano, la puerta de vaivén. Ruidos de cubiertos, puertas corridas, platos. No oí la voz de Dora.

Empujé con cuidado la puerta de vaivén para bajar al sótano. Cruzar la otra puerta, el patio de baldosines rojos donde tendían la ropa si llovía, la carbonera enfrente sin ventana. La puerta cerrada. No había luz. No había llave por fuera. Iba a marcharme cuando oí ruido sofocado, alguien desplazándose, pero venía de otro sitio, del planchero al lado.

—¿Qué haces tú aquí?

Francisca contra la pared, detrás de la puerta del planchero. No levantaba la voz.

—¿Qué has venido a hacer, desgraciada?

La miraba.

—¿Tengo monos en la cara? ¿Por qué me miras?

¿Estaba escondiéndose?

—A meter las narices en lo que no te importa, ¿verdad? ¿A cuenta de quién? ¿Quién te manda? Esto lo va a saber la abuela.

Salía de detrás de la puerta. Hablaba alto.

—A tu abuela se lo cuento yo esta noche.

Dormía en el cuarto de la abuela, iba siempre a su lado, con la talma, la bolsa de labor, en la terraza de pie detrás de su butaca.

—Una niña en el sótano. Bonito ejemplo.

Alto, volviéndose hacia el patio, como si alguien la oyera.

—Bonito ejemplo, esto lo va a saber la señora. Aquí sobra una, mal ejemplo a los niños de esta casa.

Sus palabras en un silencio contenido, agachado para saltar.

Me cogió por un brazo, me llevaba en volandas hacia la escalera, hacía daño.

—¿Dónde vas? —le preguntó Obdulia al pasar, y Tomasa, que estaba fregando:

—¿Dónde va ésa?

—A la señora —dijo Francisca. Todas parecieron alegrarse.

—¿Qué pasó, qué hacía la chiquilla allí?

—Cada una a su trabajo —dijo Francisca.

En ese momento vi a Mariano. Venía de abajo, de donde acabábamos de subir nosotras, alisándose el pelo. Secamente me separó de Francisca, tironeaba, pero él pudo más y me llevó a su lado.

—En paz a la niña —dijo.

La miraba. Francisca se echó a llorar.

—Tú estás loca de remate, completamente loca.

Las mujeres de la cocina llameantes, él las podía, enfrente. Delgado, seco, moreno, requemado. Tenía la piel oscura. Era muy alto.

Estaba allí y las miraba una a una desde su alto.

—No tenéis vergüenza, meter a una niña en esto.

—A la señora... A la señora...

—Cállate tú, que Mariano tiene razón. A una niña... —dijo Tomasa con voz blanda, derretida. Yo tenía el caramelo en el bolsillo del delantal.

Mariano la sonrió, la dentadura tan blanca. Dijo a Obdulia:

—Tú eres la mejor, que no te metes en nada.

Obdulia se rió como temblando. Él se agachó sobre mi frente y me besó, ligero. Me dio un azote.

—Aprisa, arriba, no vayan a echarte de menos.

Francisca pataleaba, atragantándose con las lágrimas.

—Asqueroso, cochino, besar a una de las niñas de esta casa con la misma boca, sí, señor, con la misma boca... a una de las niñas de esta casa.

Mariano la cogió por un brazo, la apretaba.

—Calla tú.

Lloraba tirándose de los pelos, dándose con la cara contra la mano.

—Cállate —los dedos en el brazo de Francisca se le ponían blancos—. Fuera todas, fuera, no vayan a entrar de repente. Que te marches, mocosa.

Cerró la puerta de paso. Dijo otra vez:

—Cállate. Que te marches.

Desde la puerta de vaivén me volví: la estaba acariciando el pelo.

Tenía el pelo muy largo, le llegaba hasta las caderas, se lo había visto suelto sobre una toalla blanca que se ponía por los hombros. Se sentaba en el balcón del cuarto de costura al sol, o al aire con aquel pelo larguísimo, ondulado. No sé cómo luego le abultaba tan poco.

—Tengo el pelo tan fino... —decía—. Se me enreda.

Tiraba con el peine, hacía ovillitos con el pelo, los dejaba en la esquina de la máquina de coser.

—Esto es una porquería; quite de ahí ese pelo —decía Patrocinio.

—Me estoy desenredando.

Francisca parecía muy alegre cuando se lavaba el pelo y lo extendía. Echaba la cabeza atrás, yo me reía porque sacudía la cabeza y el pelo oscilaba, bailaba.

—Yo tengo sed ardieeente.

Cantaba y tiraba del pelo; tenía una voz que hacía gorgoritos, como el agua.

—De dos en celda —dijo Leontina cuando se lo conté.

—...con voz de monja, que se quiere ir Reparadora, Ana me lo contó, y también tía Concha, y la quieren muchísimo por eso.

Leontina apretaba los labios.

—No se va por la abuela, por no dejar a la abuela.

Leontina dijo:

—¿No tiene a sus hijos, tu abuela? ¿No hay más que Francisca y Francisca? ¿No hay más que Francisca?

Manoteaba. La abracé por la cintura, apretándome contra su vientre.

—¡Tina!

—Tina, Tina, mucho Tina, que te veo venir. Mucho Tina cuando está delante. Tu Francisca tiene la misma vocación que tenía mi madre: de dos en celda.

Me sacudía de ella.

—Pero tiene una voz con gorgoritos, y canta así: Yo tengo sed ardiente, que me devora el alma.

—Pues que beba —dijo Tina—, si tiene sed que beba, es lo más fácil.

—Es al corazón de Jesús.

—Al corazón de quien sea.

Enfadadísima:

—Y eso de andarse lavando la cabeza es una guarrería, a buena hora en casa de tu padre andamos nosotras con el pelo suelto, como si estuviésemos locas.

—No anda por la casa, es en el piso de arriba, cuando se lava el pelo. Bueno...

Me quedé callada. Tina se volvió, dijo:

—Se paró el carro.

—También en la azotea de Mariano, en un rato que él no estaba, a la tarde da mejor el sol.

—¿Y él no estaba?

—Se encontraron en la puerta, Mariano no se enfadó porque saliera de su cuarto. Francisca le dijo: «Perdona, que es que se me fue el sol de la terraza, y, si no, no se me seca.» Y Mariano le dijo: «Entra, anda.» Ella no entró, con todo el pelo suelto que era como una capa. Habla toda fina.

Francisca repitió, triste, de repente:

—Toda fina.

Y luego:

—No te lleves la mano al pelo que buena te pusieron a ti, hecha un cristo, con aquel pelo que tenías, que daba gusto verte correr cuando hacía sol. Pareces una tiñosa.

—Pues así está tu Balbina también.

—Mi Balbina es hija de una pobre, y las pobres van como antes se acaba, que mi hermana no tiene tiempo que perder con ella. Estás hecha una visión, para que te enteres.

Casi me gritaba.

—Pues cuando lo tenía largo decías... Te quejabas que no terminábamos nunca, me tirabas...

Puso las manos en las caderas.

—Me faltaba oírtelo, ahí tienes, me faltaba: yo me quejaba, yo te tiraba. Si es mejor que te quedes allá de una vez, con tu Francisca, con tu Mariano, con tu Dora, con la puerca de Tomasa... ¡No me toques! Aquí hemos estado tan ricamente sin ti: venía Balbina a sentarse a mi lado, a aprender a coser, que no se la sentía. Menos que hacer. A Balbina, cuando la peino... Tan ricamente. No pensába-

mos en ti, ni nos acordábamos. ¿Tú tampoco, verdad? Tú, ni un minuto. Venga la juerga, venga las caras nuevas, y los de aquí, borrados. Borrados como si hubieran dejado de alentar. ¿Con este frío qué hará la niña? ¿Y tendrá bastante ropa? Y si estuviese aquí, que tanto le gusta cuando la matanza... buenas tontas, para ti como si estuviésemos muertos. Era mejor irse, oír cantar así, que es un empacho eso que cantas, para que lo sepas; «tú nuestro encanto siempre serás», no se le dice a Dios, a ver con qué cara se le dice a Dios una cosa como ésa.

Me miró con severidad.

—¿Llamaríamos encanto al señor nosotras?

Yo me reía.

—Pues una cosa parecida, la tapadera que se ha buscado. Que se quiere ir monja por la cola. Nada. Tú lo has dicho, tengo las orejas muy buenas: tú lo has dicho, que te había dicho que llevaban colas blancas y azules, buen rabo la iba a dar. Buenas tontas, yo...

Se llevó el delantal a la cara, sacudida por la risa.

—Colas blancas y azules para la doncella de la señora.

Aunque parecía que no era risa, sino un sacudimiento. Dijo:

—¿Te acordaste de tu padre alguna vez? ¿Te acordaste de esta casa?

Estaba seria, con los ojos hundidos en los míos.

—Se me olvidó la cara.

Se me quedó mirando sin moverse, lo mismo que si no me viese bien. (Leontina no podía temblar, no podía temblar porque era grande, caliente, buena, no podían asustársele los ojos, buscarme, si me tenía allí.)

—¡Tina!

Dijo:

—Dios te perdone.

Ahora sí había silencio. Un silencio de arena sin fin.

—Amor de niño, agua en cesto.

Ya me lo había dicho otras veces, pero de aquélla estaba en pie, delante de la mesa de la plancha, con las manos cruzadas sobre la sábana que cubría la mesa, como guardando silencio por alguien en las despedidas.

V

El jardín parecía terminarse en los plátanos, fronterizos con la huerta, a la derecha en la tapia que nos dividía de la otra finca cerrada, solitaria, a la izquierda en el bosque, la casa de Venancio; corriendo por detrás del bosque y casa de Venancio la tapia con la hiedra. No se sabía bien si de los salesianos separaban el bosque y la hiedra-tapia, o el propio muro del edificio, ventanas altas abiertas hacia nuestro lado. Los salesianos terminaban en un tejado picudo, de ladrillos rojos.

Corríamos por las avenidas sin mirar a las ventanas.

—A los plátanos. No bajéis por allí.

Los plátanos, camino horizontal, barrado, con su puente de hojas en lo hondo, sin que te vieran, sin ver.

—Los niños, en los plátanos.

¿Qué hacía la carretilla en el sendero? Entre las aberturas del seto se veía la carretilla, sola en el sendero arenado.

—Dejad ese rastrillo, si os ve Venancio.

El rastrillo pesaba y abría canalones en la tierra. Tenía un mango suave, usado. La carretilla estaba allí, ante el césped cerrado, sin resquicio, aquella pared al final de boj altísimo bombeada.

—Ahí no hay nada —decía Clota.

Salió Venancio, de donde el boj se pegaba al murohiedra. Salió de canto, con cuidado, se sacudió y fue hacia la carretilla.

—¿Venancio? ¿Dónde?

Clota miró con la cabeza ladeada, como hacía para correr.

—Salió de allí detrás, ¿no lo viste?

La pared de boj no presentaba quiebras, tupida; solo, junto al muro, el final descarnado abriendo un paso estrecho. Era redondo, como el pozo, aunque de frente estaba la tapia: en el centro aquel montículo de estiércol, con una horquilla de madera hincada. Una escalera arrimada a la tapia.

—¿Dónde te has enganchado el delantal? Mírate los bolsillos.

La clase, la merienda, el rosario, jugar, lavarse.

—¿Qué te pasa, no comes?

Los ojos burlones de Ana, impacientes de Suzanne.

—Estamos todos acabando.

Los ojos tranquilos de Clota, el armario blanco detrás de ella, por encima de su pelo.

—Del plato a la boca...

Dora nos servía.

—¿No tienes ganas? ¿Has comido entre horas?

Dora dijo:

—Se habrá escapado a la huerta, Mamuasel.

Ana sonreía, entrecerrando los ojos. Odón me dio con la bota en las canillas.

—¿Te duele algo?

—Sí.

—¿Dónde te duele?

Me puse a llorar. El cuarto se llenó de olor a estiércol, un olor denso, fresco, animal, sofocante. El monte en el centro, carretilla abandonada, escalera.

—Levantaros. Salid.

Ruido de sillas removiéndose, pasos. No levantar la cara, no ver las de los otros.

—¿Comiste fruta, chiquilla? Dilo, luego será peor. Han ido por tu tía Concha, dilo.

—Saca la lengua. ¡Ay, las niñas desobedientes, las niñas que no hacen lo que tienen que hacer!

La mano de tía Concha sobre mi frente, caliente mano en mi garganta.

—Nada, está fresca, aceite de ricino y a la cama. Sécate esos ojos, no lo note la abuela, le sube la tensión. ¿Comiste fruta? Levanta la cabeza, Tadea. ¿Comiste fruta? Confiésalo.

—Anda, díselo a tu tía.

—Retírese. Confiesa. Dime la verdad.

Cuánto tiempo. Cuánto tiempo. Un agujero blanco en el tiempo.

—¿Te crees que no sé todo lo que haces? ¿Te crees que no sé que arrastras a Clota y a Odón para coger fruta cuando crees que no os ve nadie? A ellos solos no se les ocurre, no se les había ocurrido... ¿Te crees que no sé de qué habláis en cuanto una se descuida?

Tenía una echarpe morada, una echarpe morada de una lana finísima.

—De Dios no te escapas, Tadea. Dios lo oye todo y te pedirá cuentas.

Una echarpe morada finísima.

—Confiesa.

Sentada en una silla en el comedor de los niños. ¿Cuánto tiempo hacía? ¿Había sucedido aquella tarde? Debía de ser noche oscura. Noche oscura fuera.

—¿Por qué lloras, no te he tocado? ¿Por qué lloras? Todo lo arreglas llorando ¿no te da vergüenza? En esta casa no se llora, sécate esas lágrimas, ¿has dejado de llorar?

Oler a noche, a estiércol, a animales en el establo. Los ojos húmedos tristones de la Pinta. Mirar la echarpe morada finísima, no los ojos de la Pinta, no los ojos de la Pinta.

—¿Pero, qué te pasa otra vez? Dilo, dilo. Me armo de paciencia, le sacas a una de quicio.

Ojos enormes, saltones, tristes, mansos. Oscura noche triste, triste blanco desoladoblanco armario detrás.

—El estercolero.

Me sequé las lágrimas con la mano, la miré sonriendo.

—¿El estercolero? ¿Qué has ido a hacer allí?

Ya no había ojos de vaca, ni más que un blanco armario insípido como todos los armarios blancos, ni oscura noche, ni agujero blanco. El olor no apretaba las sienes, denso. Todo se había ido.

Miré a su cara con alegría.

—Vi salir a Venancio de allá dentro.

—Levántate —apartaba sus ojos de mí—. Vamos a la cama.

Tarde, en la noche, me llegaba su voz como el rastro de la luz del faro:

—...que no hable con los otros, influencia, demasiada libertad, pendiente, responsable, usted pendiente.

¿Por qué hablaban tan tarde? Clota dormía. Suspiros, cerrar los ojos.

—Hubiera sido mejor para ella...

La sombra agrandada de tía Concha en mi pared, inclinada sobre la cama de Clota.

—Que las niñas no duerman destapadas.

Cerrar los ojos. Está besando a Clota. De La Habana ha venido un barco cargado de...

—Un ángel cuando duerme.

De La Habana ha venido un barco...

Suzanne lloraba. Con la cabeza sobre la mesa, como si fuera yo. Suzanne era mayor, era la profesora, Suzanne. Me senté en la cama. ¿Era posible? Lloraba y la bombillita de la tulipa se sacudía. Me eché despacio sobre la almohada. Era más terrible que asomarse al estercolero, pesaba más, hacía más daño. ¿Qué había en el estercolero? Abono, soledad, escalerillas sobre la tapia. Había solo yo, encontrado por mí. Una niña lloraba en alguna parte, no era una mayor, era una niña. ¿Tendría mamá Suzanne?

Como me echo en esta cama
que tan descansada duermo,
¿cuántos se han echado en ella
y han amanecido muertos?

La echarpe morada, el armario blanco. La luz hasta dentro, tenue, rastrillante. La luz no hay que llorar. La luz mi madre.

VI

La terraza daba sobre el ancho césped, donde estaba el alto, frondoso magnolio, a la derecha. Embalsamaba el aire. Hojas verdes, duras, brillantes, con el revés amarillento, nervuras abultadas; las ponía Francisca en los cacharros. Venancio las tenía cogidas por los rabos cortos, las dejaba sobre la mesa de la antecocina, estaban allí los cacharros esperando, con el agua dentro.

—No tan apelmazadas, doña Patrocinio, a la señora le gustan más sueltas.

La antecocina era el comedor de Patrocinio; el de Julia, cuando Julia llegaba. Una habitación sin puerta de entrada, sólo el hueco de la puerta ancha, desembocaba allí la escalera de servicio, puerta de vaivén a la cocina, ventana al fondo, sobre el vestíbulo de la entrada principal. Toda rodeada de armarios blancos tapando las paredes, en la parte alta tenían un carril negro, y engachada al carril una escalera de peldaños al aire, la usaban para sacar vajilla o cristalería de los estantes de arriba, iban apilando los platos sobre la mesa de Patrocinio, Obdulia los tendía en pequeños grupos, encaramada en lo alto. Daba un impulso a la escalerilla y se deslizaba, rápida.

—Formalidad.

—Se me ha escurrido, doña Patrocinio.

Castigados a comer en la antecocina cuando alborotábamos en nuestra mesa, o nos dábamos con las piernas por debajo, si hacíamos ascos a un plato, si hablábamos en alta voz sin haber sido preguntados. (En el comedor de los niños, al otro lado de la entrada principal, junto a la sala de música, ruido de tenedores, apenas nuestras voces. Suzanne comía sin mirarnos, mirando por encima de nosotros hacia la entrada por aquel ventanal que daba a ella. Se apoyaba en los codos, la barbilla sobre las manos cruzadas.

—No se ponen los codos sobre la mesa.

Cuando estábamos terminando, la bocina del coche, la puerta de la entrada principal.

—Papá —decía Clota.

Si estaba abierta la ventana al vestíbulo se oía la voz pastosa, clara, de tío Juan. Contenía la respiración. Los últimos pasos.

—Podéis hablar —decía Suzanne sin levantar la voz, sin mirarnos.

A veces, parecía cansada. De repente nos oía.

—A callar, no tenéis término medio. Hablad por turno.

Tía Concha decía:

—Ayer se oía a los niños desde la mesa.

El comedor, siempre en penumbra, no recibía luz directa, sino a través del vestíbulo de entrada. En el comedor de Patrocinio el espacio ancho sin puerta, abierto al pasillo, la escalera de servicio, daban claridad.

—¿Ya estás aquí? ¿Ya te has hecho castigar?

La mesa recubierta por un hule blanco con cuadraditos también blancos, unos brillantes y otros no.

—Deja el cuchillo.

Seguía el dibujo de los cuadrados con la uña, hacía otros, curvos, los cruzaba.

—No puedes parar quieta.

Podía estar quieta tiempo y tiempo, podía pararme y estarme así la vida.

—¿Por qué no corres como los otros, ahí plantada, mirando? ¿Qué hace esa niña ahí, quieta?

—Desde los quince años con tu abuela —decía Patrocinio. El pelo blanco y muy hueco, rizado— como costurera de blanco. Después, tu abuela se casó y me vine con ella.

Patrocinio tenía una familia que venía a verla los domingos; entraban por la puerta del sótano, se encerraban con ella en el cuarto de costura, en el piso alto. Desde el jardín veíamos a una niña en el balcón.

—Es Clemen, la sobrina de Patrocinio.

Los primos se reían. Desde abajo le sacábamos la lengua.

—¿No quieres llevarla con vosotras, al jardín? Anda, vete con esta niña que te lo va a enseñar todo, es muy buena.

Se volvía a los hombres que se habían puesto de pie, con los trajes tan tiesos.

—La nieta de la señora, la hija de la señorita Raquel.

Se ponía muy colorada Patrocinio, se le sonrosaba la entrada del pelo blanco.

—Ay, pobre niña. Sin madre. ¿Ves? Esta niña, la pobre, no tiene mamá.

Se sentaban, se poñían anchos; los hombres tiraban de la pernera de los pantalones hacia arriba. Yo bajé las escaleras de tres en tres, la mano sudorosa sobre el pasamanos, un ruidito chirriante. Clemen se atosigaba.

—La llevan con sombrero —dijo Ana—. ¿Has visto?

Clemen parecía aplastada por el sombrero, con el cuello rígido.

—Mamá dice que se salen del tiesto.

—¿A qué sabes jugar? —le preguntaba Odón—. ¿Sabes jugar?

De un brinco puso los pies en la corteza de un plátano, no lo hacía a diario, pero sí entonces, frunció los labios como si fuese a silbar.

—Aj —dijo, mirándonos— otra niña.

Clemen le miró apretando un bolso pequeño blanco de hule.

—Trae la cartera —se reía Ana.

—¿Juegas a la comba?

Suzanne dijo:

—Quítate el sombrero para saltar.

—No, señora.

—Dejad tranquila a esta niña. Saltad vosotros. ¿Por qué no jugáis a otra cosa?

Nos sentamos en el banco verde con Clemen apretujada entre nosotras.

—¿Dónde vives? ¿Cómo es la casa de tus padres? ¿Tienes profesora?

Clemen contestaba tan tenue que nos apretábamos para escucharla.

—¿Llevas dinero? ¿La cartera te la pusieron los Reyes? ¿Para qué quieres dinero? ¿Qué vas a hacer con él?

Clemen empezaba a contestar, quieta, sentada sobre el banco, no nos alcanzaban los pies a tierra, nosotros los balanceábamos y ella apartaba un poco sus zapatos tan blancos.

—Tengo un hermano muy mayor...

Miraba hacia el sendero que pasaba por delante del magnolio, por donde habíamos bajado.

—Mi hermano tiene una bicicleta.

Hubo un silencio.

—Este traje es mío —dijo Ana, señalándole a su traje—. Es mío, ¿no te acuerdas?

Se volvía a Clota.

—Se lo dio mamá a Patrocinio, porque ya no me servía. A ver. A ver.

Le tiraba de las faldas para que se pusiese de pie. Clemen se resistía, sentada, apretando manos y cartera contra los muslos.

—Y las enaguas son las nuestras, ¿ves, Clota, ves?

—Se lo diré a mi hermano —dijo Clemen, muy bajo, sin moverse.

—Pues díselo. —Ana no dijo: «yo también tengo un hermano».

—¡Descarada!

Después:

—Si se lo dices, mi abuela echa a tu tía de esta casa.

Clemen apretó los labios aún más, mirando fija, fija, hacia el sendero del magnolio, sin mover un pie.

—Tu sais, nous allons parler français, elle ne comprendra rien.

Hablamos a un lado y otro de ella, con la niña en medio.

—¿Qué bien habéis jugado todas juntas, qué formalitas. ¿Ha sido buena? —Patrocinio preguntaba a Suzanne.

—Es una niña muy tranquila.

Suzanne dejó el libro, descruzó las piernas despacio.

—Cuando está de visita —dijo Clementina sonriendo y estirándole la falda—. En casa es que no para, cuando coge confianzas... Y presumida...

Clemen se agarró a su mano.

—Hija, que te chafas toda, qué niña ésta. Ahora anda loca por un collar. ¿Has sido buena con las niñas?

—Mira —dijo Patrocinio— éstas son las niñas tan buenas que te dan sus vestidos. Son las señoritas de esta casa.

Ana dijo, tan dulce:

—No tiene importancia

sacudiendo su pelo.

—Como una persona mayor —dijo Patrocinio.

Todos la miraban.

Marcharon por el sendero del magnolio, estuvimos rato en la abertura del seto, viéndoles alejarse de espaldas. Uno de los hombres miró a Suzanne por encima del hombro. Se volvió un poco, y la miró otra vez. Suzanne cruzó de nuevo las piernas, lentamente. Sonreía, una sonrisa sostenida.

—¿Será verdad lo del hermano?

—Sí —dije.

—¿Cómo será su hermano mayor? ¿Por qué no lo ha traído?

—A ti qué te importa.

—Tú también tienes hermanos mayores, ¿por qué no se lo has dicho? La hubiésemos chafado.

—¿Por qué no vienen nunca los primos?

—Mamá dice que las niñas con las niñas, y que te habían mandado para que no te criases como un chico.

—Yo soy un chico.

—Tú te callas. Los primos son mayores.

...pantalones de dril, piernas arañadas, cardenales, voces raspantes, cabezas rapadas, alegría, como aire, como oler profundamente a abono.

—¿Queréis que os enseñe una cosa?

—¿Dónde?

...el ruido les anunciaba, entraban en el río chapuzando

agua, con calzones cortos, subían a la barca tumbándose dentro, la cabeza primero. Corrían. El ruido en torno a ellos, el ruido les precedía, les acompañaba.

—Por aquí no se cabe —dijo Clota—. No hay sitio para entrar.

Ana fue derecha a la parte descarnada.

—Bueno, ¿dónde está?

—¿Cuál?

Subió la escalerilla y se sujetó con los pies en el último peldaño, cruzada de brazos sobre la tapia.

—Sube, Tadea.

Se hizo a un lado para que cupiese yo. Odón había escalado apoyándose en los salientes del muro, estaba a caballo sobre la tapia, con una pierna colgándole del otro lado.

—¿Qué se ve? —preguntaba Clota—. Déjame subir.

—Tú no.

Un patio de tierra, solitario, con dos porterías de fútbol. Ana me dijo, bajo:

—Ahí juegan los niños al balón.

—¿Por qué yo no puedo? —movía nuestra escalerilla.

—Estate quieta, nos vas a matar.

—¿Qué se ve?

Ana me guiñó un ojo.

—No es para niñas —dijo.

—Tadea, hazme un sitio. Anda, tú.

—No es para niñas.

El campo grande, pelado, las porterías de fútbol.

—El Padre toca un pito y se ponen a jugar, y toca un pito cuando hacen falta. A veces tiran la pelota contra aquí, sin que les vea el Padre.

—Se les escapa —dijo Odón.

—Yo se la devuelvo. Se ríen de Odón.

—No es verdad.

—Se ríen, sí, señor.

—¡Idiota!

—Toda esta caca —dijo Clota.

—Es abono para la tierra —dije yo—. ¿No sabes qué es abono?

—Es caca —se reía.

—No muevas la escalera, Clota, o...

—Se lo digo a mamá.

—Si lo dices, te delato. Has dicho «caca». Andas siempre diciendo caca y culo, en cuanto puedes. Lo digo. ¿Qué es eso?

—A ti no te importa.

Clota se volvía de espaldas.

—¿Qué has encontrado?

Ana bajó ligera la escalerilla. Forzó los brazos de Clota, que apresaba algo.

—Una pelota —dijo—. Dámela.

—La he encontrado yo.

—Dámela, soy la mayor.

Era una pelota de papeles, con tiras de gomas. Ana aflojó las tiras y sacó algún papel.

—Con hojas de cuaderno.

—Hay que devolverla.

—¿Devolverla?

Clota la miraba. Odón dijo:

—Tírala ahora, seguro que es de ellos, la encontrarán en el recreo.

Ana se quitó la chaqueta, y coló la pelota por la manga, como por un tubo, el puño la aguantaba.

—No dirás que fui yo.

—Diré que la encontraste tú en el estercolero, si me das la lata.

—Nos ha traído Tadea.

Ana se rió. Repitió:

—Nos ha traído Tadea
marchando hacia los plátanos.

Suzanne alzó la vista de la labor.

—¿Dónde andabais?

Ana dijo:

—Como estaba usted leyendo.

—¿Yo leyendo?

El libro sobre el banco, junto a la bolsa de labor.

—Le pedimos permiso, ¿no se acuerda? —la voz tan

clara. Dijo que sí con la cabeza.

Dejó de mirarla y buscó mis ojos; desvié la cabeza, arranqué un pedacito de boj, me puse a chuparlo.

—¿Tú también? —dijo.

VII

Julia llegaba siempre como si volviera.

—Ya se acerca el invierno —decía la abuela mirando por la ventana de la biblioteca—. Pronto vendrá Julia.

—El día menos pensado.

Yo miraba el fuego a través de la mica que le habían puesto a la salamandra de loza verde. A través de la mica el fuego no era llama, no tenía cuerpo. Cuando la encendían por vez primera daba gusto por dentro, sentada sobre la alfombra de la biblioteca, yo también miraba hacia la ventana.

—Puede llevar los niños a la terraza.

Sin muebles, la terraza grandísima, desconocida, baldosines en rombo y cinc. El agua rebotaba sobre la canaleta de cinc o caía lo mismo que una cortinilla de hebras de agua. Levantábamos la cara, chupábamos lluvia. Suzanne daba los cien pasos. Jugábamos al tren. Ya no había flores en los macizos. Venancio las había retirado en tiestos, se había pasado días con la carretilla arriba y abajo.

—Deja de mirar a Venancio, Tadea, ven a jugar.

Llevaba una americana floja, con los bolsillos abultados, vencidos, asomándole el tijerón de podar y ovillos de cuerda. La hierba se hacía dura y punzante, separada, pasaba y pasaba el rastrillo porque el viento y la lluvia desplazaban grava. Entre la grava blanca, de pronto, un pedazo descarnado de tierra raída. Venancio, con una bufanda de lana negra de muchas vueltas al cuello y la boína calada, luchaba contra el viento y la lluvia, el suelo crujía, espeso, con sus piedrecitas blancas, al pisarle. No había una sola flor, las tablillas en los tallos se agitaban, aparecían algunas arrojadas por el vendaval en el sendero: «Rosa damascena. Rosa sulphurea Ait. Nymphea alba.»

En el pozo ahumaba nuestro aliento.

—¿Quién ha estado aquí? Seguro Mariano y Dora.

Había colillas juntas donde el boj, el boj chafado hacia dentro. Nosotras también nos sentábamos así, dejándonos caer, casi suspendidas.

—Ana va a contarle a la tía que os veis en el pozo.

—¿Yo?

Dio un estirón a las sábanas.

—¿De dónde sacáis eso? ¿Quién me ha visto?

—Era el pozo. Ana dijo que habíais estado allí. A la noche...

—¿Por qué no os metéis en lo que os importa?

Dora dio un estirón a la sábana, y salió corriendo.

—Mariano ha hablado con Ana. La ha llamado y le ha dicho algo.

—¿A Ana?

La esperamos todos en el pozo. Hacía sur. Ana se echaba atrás la cinta de terciopelo.

—¿Qué te ha dicho Mariano?

—Mocoso, a jugar.

—A lo mejor te ha dado un beso —dijo Odón, moviendo las caderas con guasa. Ana le escupió. Después dijo:

—Un criado.

Tan tiesa, parecía mayor, distante.

Odón se inclinó sobre el brocal del pozo y llamó, poniendo las manos en bocina:

—¡Mariano!

Ana se puso colorada. Dijo:

—No juego con vosotros.

Y después:

—Mamá lo sabrá a la noche.

Cuando su padre andaba de viaje, Ana dormía en el cuarto de tía Concha, en la cama grande, con ella.

—Yo soy su preferido —dijo Odón.

—¿Tú qué sabes?

—Ella me lo ha dicho, me encargó que no os lo dijera, para que lo sepas.

—Cuidado, no se te escape el ojo. Idiota. Tú no sabes nada —dijo—. No sabes nada de lo que importa. Y a lo mejor dentro de poco...

En los plátanos daba vueltas en torno a nosotras.

—Tadea, ven, te voy a decir una cosa.

—Siempre anda con secretos, déjala. No la hagas ningún caso.

Me echó el brazo al cuello, me sopló en la oreja, mirando a sus hermanos:

—A mamá le van a traer un niño.

La miré con alegría.

—No lo digas.

Nos acercamos al banco, con su brazo en rededor de mi cuello, dijo ya en alto, sonriéndome:

—Veremos luego a Odón, veremos luego, ¿verdad, Tadea?

Nos reímos. Ana dijo:

—Tengo que enseñarle las novelas.

Las había en la mesilla de noche de Dora, detrás del orinal, y debajo del colchón.

—¿Qué te parece? Así Dora, que se calle.

Se metió una debajo del delantal, aguantándola con la goma del pantalón.

—Toma ésta. La lees en el retrete. ¿Sabes lo que hace Dora con Mariano? Se besan en la boca.

Miraba a todos lados mientras lo decía.

—Un pecado grandísimo. Tomasa se lo ha preguntado a Odón, pero Odón la ha mandado a freír monas.

Ana a diario dormía con Patrocinio, a la derecha del cuarto de Julia, quedaba entre éste y el cuarto de costura.

—Niños, venid a despediros de vuestro padre que se va de viaje.

Los primos bajaban mientras yo terminaba mis deberes. Suzanne me miraba largamente.

—¿Tu padre hace viajes? —preguntó Odón.

Un clic por dentro, roja hasta las orejas, sentía el calor.

—Te pregunto si tu padre hace viajes también.

—¿Ella qué sabe? Se pasa la mitad del año aquí, ¿qué sabe? Él puede hacer lo que quiera, ni se ocupa.

Las palabras de Ana escaldaban como el aceite hirviendo. Dije:

—Está en el campo.

Sin mirarles, saliéndome la voz de entre las quemaduras.

—Es muy guapo tu padre —dijo Suzanne—. Tan gracioso con todos.

—No se ocupa de nada, lo dijo mamá, que no sabe dónde vais a parar.

—Estaban todas violentas porque bromeaba con las muchachas, fíjate; mamá dice que no sabe estar en su puesto.

—¿Dónde vas, Tadea? Tadea, ¿adónde vas...? No has terminado el mapa.

Sólo irme, irme, irme. De una vez para siempre. Dónde, no lo sé. De una vez. No veía la escalera. Suzanne me alcanzó en el descansillo.

—Es-tu folle? Siempre tienes que dar escándalo. Te digo una cosa agradable de tu padre...

Me solté de un tirón, abracé al pasamanos, sentía la madera dura contra los labios, en el cuerpo, entre las piernas.

—¿Qué dicen de nosotros allá?

—Nada, Tina.

Una escalera enorme, hacia abajo, no se acababa nunca. La espiral, el hueco, borroso, un agujero tan pequeño al fondo.

—Vuelve a clase. No hagas caso de Ana.

Para volver había que atravesar el patio de cristales.

—Suéltate de ahí.

—No me crees, Tina, no me crees.

—Vuelve a clase, Tadea. Ahora te lavas los ojos y todo olvidado. No hagas caso de Ana, contéstale tú también.

La miré, su cara me temblaba; Suzanne le había conocido, había visto sus ojos, las anchas palpitantes ventanas de su nariz. La voz de mi padre que llenaba la casa.

—Vaya, ya ha llegado el señor —decía Tina.

Su voz grave, vibrante, por los pasillos. De pronto nada podía pasar. Hablaba con todos. «No sabe estar en su puesto.» *Las caras se alegraban.* Ana no había visto las caras cuando la sentían cerca, cuando él hablaba. *Le contestaban sin bajar la voz, pero con aquel resplandor en la cara que era el resplandor de mi padre.*

—Vaya, ya se ha pasado.

Lo difícil era volver. El patio de cristales. Ojos furtivos por encima de sus cuadernos. Aunque no los miraba. Estuve mucho tiempo sobre el diván espeluchado mirando por la ventana.

—¿Te has dormido?

Me volví despacio.

—Creímos que te habías dormido, tanto tiempo quieta.

—O que te habías muerto —dijo Odón.

Por aquella entrada Julia iba a llegar. Lo haría cuando menos la esperaba, siempre igual. El cielo, sobre los pueblos de enfrente, era blanquecino y duro. Muy lejos existía el mar. La campanilla sonaba como todas las veces. Alguien decía:

—Es Julita.

Corríamos a la ventana.

—No

decíamos a veces. Tardábamos en reconocerla, veíamos su bulto negro, menguado, desde arriba, al otro lado de la puerta, todavía afuera, en el Alta.

La puerta del jardín se abría desde la cocina, tirando del agarrador. Bajábamos despeñándonos por las escaleras, a ver quién llegaba antes. Obdulia estaba abriendo la puerta principal. Estaba allí, andando sobre la grava, hacia la casa, Julia, la campana sonaba en alguna parte.

—Julita —decían los primos.

Se reía. Traía la cara enrojecida, húmeda la punta de la nariz.

—Niñas, niñas, que me tiráis, a ver.

Dejaba a Obdulia le llevara la cesta grande, de dos tapas, pero apretaba aquel cabás contra ella.

—¿Qué nos traes?

—Todo por orden —decía.

Levantaba sus ojos al ventanal de la biblioteca.

—Dejadme andar, no me dejáis dar un paso.

Nos besaba, ensalivaba al besar.

—¿Qué nos traes?

—Eso no se pregunta, Odón —decía Ana.

—Cómo has crecido, más alta que yo ya.

Entraba por la puerta principal.

—No, hijo, deja —le decía a Mariano que quería cogerle el cabás.

—¿Por qué no avisó, hubiera bajado con el coche?

—Gracias, hijo.

Se paraba un momento antes de empezar a subir la escalera, resollaba un poco.

—Bueno —decía.

Sus zapatos abotinados como los de Odón, sólo que en negro, con la punta muy chata. La escalera grande, alfombrada de rojo; con el pasamanos brillante. Una bola de cristal azul en el arranque, con puntitos dorados. Tía Concha arriba, apoyada en la barandilla, inclinando la cara, sonriendo. Julia levantaba sus ojuelos hacia allá.

—Ven, Tadea. Ven, Tadea —decían los primos.

Con el pañuelo a la cabeza y su talma de punto negro por cima del abrigo, largo, recto como una sotana. Rebuño de ropas en el pecho, me secaban la garganta, aplastaban la respiración.

Julia recogía los bordes del abrigo para subir.

—Tadea, sube.

...mujeres que parecían no tener pelo, sino pañuelo sobre el cuero cabelludo, sólo se lo aflojaban para ajustárselo mejor, lo llevaban como la corona el eccehomo, sólo que sin severidad, sin tristeza.

—Sube.

Dolor y gloria ver subir a aquel pañuelo negro sobre nuestras Julia las escaleras rojas alfombradas. Por este nuestro dolor y por este nuestro gozo...

—Tanto Julia, tanto querer a Julia, tanto andar colgada de Julia, y ahora que la tiene se queda ahí parada.

Por este nuestro dolor y por este nuestro gozo... La abuela la abrazaba, altísima junto a Julia, una cima nevada. Se inclinaba para besarla.

—Julita...

Decía:

—¡Raquel!

Sonaban Raquel y Julia como cuando a nosotros nos llamaba el pozo. Un silencio leve, enrarecido —el corazón había que contenerle— entre las dos después.

—¿Habéis ido a ver lo que os traía en la cesta?

Tomasa se reía con las otras. Lo volcaba todo sobre el mármol de la mesa de la cocina.

—Huevos, como si aquí no los hubiera.

Miraba a Mariano. Huevos rosados de las gallinas que tenía Julia, templados, parecían. Yo los acercaba a mis mejillas, los resbalaba.

—Que vas a hacer una tortilla antes de tiempo.

Tomasa decía:

—Éramos pocos y parió la abuela. El maldito queso...

—Le gusta al señorito.

Olía fuerte, a podrido. Decían:

—Lleno de gusanos

y nos apartábamos instintivamente.

(Julia lo untaba en el pan.

—Cuidado, Julia —porque se veía el gusanito retorciéndose.

Julia reía.

—Les tomas la delantera —decía.)

—Anda, a guardarlo, que va a andar solo.

El olor tumbaba.

—A este señorito también le gusta.

Le cortaba un pedazo a Mariano.

—...que también somos hijos de Dios.

Clota decía:

—¿Estás segura de que no está perdido?

—A éste le gusta mucho lo perdido —decía Tomasa, las carnes moviéndosele.

—Huele...

—Le gusta mucho lo que huele.

Mariano tomaba el queso y nos echaba el aliento.

Francisca dijo:

—Ya está bien. Tú vas a parar poco en esta casa.

—No serás tú quien me eche —decía Tomasa—. Esta casa... Ni que fuera palacio.

Y Mariano:

—Paz entre los ruines.

Podía el olor del queso sobre el de las manzanas brillantes y rojísimas. Odón se llenaba los bolsillos del pantalón con castañas crudas, sin pelar, que luego nos dispararía en los plátanos.

Cuando las cosas se ordenaban en los cajones parecía que Julia no se hubiese marchado nunca.

—Cuánto has crecido.

Decía:

—Estás casi como yo.

Tenía entreabierta la puerta de su cuarto.

—Dejarla ahora, mientras saca las cosas de la maleta.

Me ponía de pie sin decir nada, igual que cuando pedíamos para el retrete.

—Puedes ir.

El patio de cristales. No hacía falta llamar. Me abrazaba a su cintura.

—¡Tadea!

Me besaba. Sentía su mano izquierda apartándome el pelo y levantaba la cara como para recibir la lluvia.

—¿Tenías ganas de que viniera?

Me quedaba parada. No me había acordado ni una vez. Pero tenía ganas.

—...unas pocas nueces para ti, este año apenas hubo, cómelas aquí, no te vean los otros.

Las cascaba en la ranura de la puerta, Julia se sobresaltaba con el chasquido.

—No debías comer entre horas. Por ser el primer día. No debía hacer diferencias.

Me reía.

—No debías. No debías. Déjame ver tus cosas.

—Cuánto has crecido...

Tenía el cabás abierto sobre la cama, pero sin esparcir

las ropas. Salían las zapatillas botines de felpa, un traje de lanilla negra con pechero que se ponía los domingos para misa, o cuando bajaba a la ciudad, una lima como una lezna. Cuarto de hora en compañía de Jesús Sacramentado, unas mudas que guardaba de prisa en el cajón de la cómoda sin mirarme, ropa doblada con camisones lila de franela tapándolo todo, la lupa. Era de concha, en el mango ponía «Banca Herrera», alguna vez me la dejaba, yo la acercaba a todo: a «cuando los sudores de la agonía me anuncien que ya está cercano mi fin», a la mancha del dedo de pasar la hoja que hacía panalitos, a la bata de Julia de estar en casa con la trama tan abierta, a la piel de mi mano, a la piel de su mano, a su ojo, que parpadeaba de prisa, con muchas venillas como raicitas, al Cristo que ponía en la mesilla, a mí misma en el espejo.

Veía, grandes, las letras al pie de la estampa sobre el mármol de la mesilla: «Comparad y ved y si hay dolor semejante a mi dolor.»

—Trae acá, no enredes.

Cuando Julia leía Cuarto de hora en compañía de Jesús Sacramentado se escondía detrás de la puerta. Apilaba la ropa para repasar sobre una mesa, ocultándose, inclinaba mucho la cabeza sobre el libro, leía sin lupa, tenía unas letras enormes.

—¿Por qué te escondes si no haces nada malo?

—No me escondo —decía Julia—. Me recato.

—¿Por qué te recatas?

—¿Por qué? ¿Por qué? ¿Por qué? Para que tú vengas a preguntarlo.

O:

—¿No puedes dejarme, cuando estoy en oración?

Decía «estoy en oración» como Jesús en Getsemaní, ella me lo había explicado.

VIII

Había que atravesar el patio de cristales, vestíbulo cuadrado, enorme, con cristales gordos en el suelo, esmerilados, granulados; daba luz, a la escalera grande. Si alguien cruzaba los cristales cuando estabas abajo, saliendo de la biblioteca, en el corredor cuadrado en torno a la barandilla de la escalera principal, o subiendo la escalera misma, se veía la sombra de los pies, el contorno de unos pies sin persona, sueltos, difuminados. ¿Se veían los míos, miedosos, al cruzarlos? ¿Alguien miraba?

—Me dejó la Sagrada Biblia, su breviario, el año cristiano, quién me lo iba a decir.

—¿Te quería mucho tu tío, Julia?

Sentada en la silla baja, de costura, pintada de rojo, con el asiento de paja, entre su cómoda y la puerta, a la izquierda de la ventana.

—...canónigo de la catedral de Oviedo. Cuando bajaba para venir aquí siempre iba a saludarlo; quién iba a decirme que se acordaría de mí en su testamento.

El año cristiano tenía los cantos rojos y una funda de hule negro; la recosía mucho, con pespuntes grandes.

—¿Y vas siempre con tu herencia a cuestas? ¿Nunca, nunca te separas?

—Nunca me separo.

Estiraba la bata sobre las rodillas de manera que estuviese tirante, que no le hiciese hueco.

—Me hacen muchísima compañía.

—Si te lo sabes ya de memoria, Julia, ¿ya para qué los lees?

—No todos —decía, apurada—. No todos, nunca es bastante.

Movía un poco la cabeza arriba y abajo, mirándome.

—Andar con las gallinas y la vaca, cuidar la huerta, la comida, la casa, muy pequeña, Tadea —se reía—. Cabe toda en el patio de cristales.

Me miraba con aquel contento de los ojos.

—La casa de una pobre, Tadea. Julia es pobre.

Una alegría que se me infiltraba, se extendía, empapaba, como el agua cuando cala un tiesto.

—Cuando me sobra el tiempo —parecía excusarse— tengo los libros santos.

—¿Tú crees que don Luciano también...?

—Don Luciano, como todos los sacerdotes.

No tenía nunca gana de hablar de don Luciano.

—Es más pelma, don Luciano, siempre dando pellizcos.

Julia se ponía muy tiesa.

—Es el capellán de la abuela, consagrado al Señor.

Oído así, don Luciano parecía distinto.

—Suda, se mete el pañuelo en la tirilla, siempre tiene forúnculos en el cogote. «Nada más que una cabezadita, doña Raquel», y se espanta las moscas con el *ABC*.

—¡Tadea!

—...se tapa toda la cara, se le oyen los ronquidos.

Julia se ponía en pie.

—No quiero oírte.

—Pero si es verdad.

—No hay que decirla.

—¿Por qué?

Titubeaba:

—No siempre..., cuando hace daño a otro.

Yo saltaba sobre la tarima de la ventana.

—Cuando se bebe el vino en misa se ve cómo le baja por la nuez.

—Tadea...

Me rechazaba.

—La sangre de Cristo; no debías de fijarte en esas cosas; debías cerrar los ojos en un momento tan grande.

Le temblaba el labio.

—Qué mala eres, Tadea. Dices lo que más me duele.

El cielo, al fondo, gris plomizo con vedijas blancas.

Pegaba la cara a la ventana. Podíamos estarnos así tiempo, cuánto tiempo. Era como adormecerse. El cielo, las vedijas. Nos íbamos, nos íbamos, se nos olvidaba que estábamos, se me olvidaba que Julia se había enfadado conmigo, quietas allí. Ponía su mano sobre mi hombro.

—Oráculo de David, hijo de Isaí,
oráculo del hombre puesto en lo alto.

La voz me sorprendía.

—Como la luz de la mañana cuando se levanta el sol, en una mañana sin nubes.

La azotea tenía una barandilla de madera todo alrededor.

—...después de la lluvia.
yérguese la hierba de la tierra.

El corazón de pie, hierba erguida, menuda, verde, vibrátil. De pie aquel enorme escuchar, como si el mundo se viniese encima.

Aquello no lo traía el libro, aquello lo traía Julia, nacía de Julia, me lo regalaba. Tenía frío el cuello.

—Lo estáis estudiando en la Historia Sagrada.

—No.

—...cuando José tenía diecisiete años, siendo todavía un niño.

—No.

—He visto la marca en el libro, Tadea, ¿por qué mientes? Di que no te acuerdas.

La dejaba. No podía darme nada más.

—¿De dónde vienes, con las orejas encarnadas?

(—...a Enoc le nació Irad; Irad engendró a Maviael;
Maviael, a Matusael,
y Matusael a Lamec.

En el centro del cristal una verruga del vidrio.

—...Lamec tomó dos mujeres:
una, de nombre Ada;
otra, de nombre Sela.

Ada parió a Jabel,
que fue el padre de los que habitan tiendas
y pastorean.

La verruga del vidrio tenía una arruga dentro como un ojo. Empezaba a tocarla con el dedo, suave, suave.)

—¿Dónde estabas?

Suzanne me señalaba la hoja.

—Ahora tendrás que quedarte más tiempo, durante el recreo.

Clota preguntaba, bajito:

—¿De dónde vienes?

(—Éste es el libro de las generaciones de Adán...

Se le ponía una cara quietísima.

—Hízolos macho y hembra y los bendijo
y les dio el nombre de Adán.)

—¿Leíste la novela de Dora? Hay que volver a ponerla en su sitio.

—No la he terminado.

—Hay que devolverla.

—¿Cuándo quieres que la termine?

—En el retrete, boba. Estás ida.

—Se le va el santo al cielo, no oye lo que la dicen. ¿Has oído, Tadea?

(—Julia.

—...

—¿Qué te pasa, que no tienes barbilla?

—Sí que la tengo, mira.

—Pero se te acaba de repente, se te va para detrás cuando hablas.

Julia atrapó mi mano, retirándola de su cara; la retuvo en la suya.

—Nací así, ¿sabes? Para lo que la quiero...

Se rió, sacudida. Una risa en voz baja, con aquella luz vacilante de los ojos.

—Nos dijeron que no te dijéramos nada, que no te miráramos, como si fueses igualita que todas.

Se llevó un momento mi mano a la altura del corazón.

—¿Por qué no, si a la vista está?

—...que era una falta de caridad.

—Pero tú —dijo Julia, y se echó hacia delante— no necesitas caridad conmigo, ¿verdad, Tadea? ¿Tú me quieres?

Estaba de rodillas delante de ella, apoyada sobre mis talones.

—¿Y la mano también, de pequeñina?

Me enseñó su mano, moviendo hacia dentro la muñeca.

—También, ya ves. Salió de esta manera de congénito —sonreía—. Qué fea es Julia, ¿eh?

—No eres fea.

—¿No? —sonreía.

—No.

Me tapé los ojos contra su bata. Volví a decir:

—No.

Y después:

—La más guapa del mundo...

Noté que se reía. Se rió un poco, y me mecía, o se mecía ella.

—Mira por dónde.

—La más guapa de todos.

Preguntó, con dulzura:

—¿Te lo parezco de verdad, Tadea?

—No me lo pareces —dije—. Escúchame bien: lo eres, Julia.

Me aparté de ella para mirarla, para que viese que lo decía viéndola.

—Lo eres.)

Y lo fue. Sí, bellísima: sólo unos instantes para mí, pero fue como si el clarín sonase en algún lado y el sol se detuviese sobre ella: la frente pareció más alta, algo fugaz, altísimo, derramado de la frente abajo, como si una mano le acariciase el rostro.

—¿Qué te pasa?

Fría, asustada de mi poder —«lo eres»—, capaz de crear como en los seis días, sin piedad.

IX

Desde allí se veía más que desde el muro de la huerta, más tejados, más mar, y el barco carbonero. Desde allí las calles de la Blanca y San Francisco se estrujaban, desaparecían, todo al alcance de la mano, hasta el puerto. Destacaba la catedral, ella sola, enormemente solemne y misteriosa; misteriosas, oscuras, las casas en torno. En aquellas casas de junto a la catedral nadie viviría, ahumadas, pero vi salir una vez, por una puerta a la calle empedrada con adoquines, un cura delgado, alto y sombrío, con su ropa negra, el manteo atrás, ondulando como la cabellera de Francisca. Pareció que el oscuro, húmedo, vacío de detrás le vomitase. Se cerró la puerta.

Julia decía, apuntando:

—Allí vive el obispo —y se besaba el pulgar.

No la creía; cosas de Julia, como decía tía Concha. En la catedral vivía un cristo oscuro, requemado, con los brazos estirados hacia arriba, no extendidos, como si lo hubiesen colgado por las yemas. Vivía en la penumbra mohosa verde del subterráneo.

—Éste es el subterráneo, niños, la cripta, los cimientos de la catedral. Estamos bajo tierra.

Estar bajo tierra quitaba aire, latían a estallar los pulsos: era estar enterrada con Cristo Jesús contra los moros —yo no tenía nada contra los moros—, asfixiaba, oprimía. Todo era catacumbas entonces: la luz de los cirios, el sonido de la campanilla, las mujeres que empujaban para ocupar los bancos. Aquella luz de pozo se extendía entre nosotros.

—Lee en el libro.

...verdosos, duros, las manos de Tina y de las mujeres lavándolos con el estropajo en un balde de acero gris plomizo. Las cabezas a un lado y otro.

—Que no entren los hombres —decían las mujeres.

Estaban sofocadísimas, se querían.

—Tú, no enredes.

Ponían aquello sobre la cama, muy tieso, con un traje estirado que le habían embutido los mujeres.

—No digas a nadie que estuvimos allí.

Secretos entre Tina y yo. Una vez toqué y tuve que soplarme los dedos, helados, duros, cosa.

Corríamos a casa juntas, entrábamos por la puerta de atrás. Tina se quitaba el pañuelo negro.

—El Canon —decía Suzanne, inclinándose hacia mi libro. Lo buscaba. Tenía estampas encima.

Todo aquello vivía en la catedral, no el obispo. Durante mucho rato, las cosas teñidas de verde lívido, de cuerpo de gusano.

(—Desde los siete años te obliga la misa; pronto tendrás que hacer la comunión.

—En Francia la hacen a los seis años. Pío X...

—Mis hijos también, pero esta niña aún no está preparada; el año que viene...

—Se sabe el catecismo de carrerilla; puede preguntársele por cualquier parte, salteado.

—Tía Concha suspiró.

—Hay que esperar a su padre. Nunca encuentra tiempo para venir.

Y después:

—¿Se hace cargo de lo que va a recibir?)

Odón, Clota y Ana se acercaban a las escaleras. Odón llevaba los brazos cruzados; ellas volvían con las manos entrelazadas buscando el banco de reojo.

—No mires así a las primas, las distraes.

Oía, cuchicheando:

—Cuerpo de Cristo, sálvame.

Todo aquello vivía en la catedral.

—Sangre de Cristo, embriágame.

Pasión de Cristo, confórtame.

Me gustaba decir con ellos, con muchísimo ímpetu:

—¡Oh mi buen Jesús, óyeme!

Me detenía.

—Dentro de tus llagas...

Cerraba los ojos, los abría con cuidado, miraba a los primos: el ojo desviado de Odón, las caras tranquilas y distraídas de Ana y Clota, lo mismo que cuando decíamos las capitales, los ríos o los montes de memoria.

Aquello era catedral. Allí no vivía nadie. Humo de velas. Pero se la veía. Desde la azotea se la veía, y yo sabía lo que guardaba dentro.

Al obispo le habíamos visto por el paseo del Alta.

—Niñas, el señor obispo. Corred, el señor obispo. Las chaquetas.

—Nos estiraban las mangas.

—Los calcetines...

Trasponer la puerta de entrada lo hacíamos pocas veces. Yo me quedaba un momento con el pie apoyado en la tarima, como si del otro lado, de golpe, fuera a aparecérseme algo, ni sabía qué. No entonces, los primos me empujaban.

Caminaba despacio, paseándose, un señor morado, con casquete y con teja: sobre el pecho, entre la capa abierta, le brillaban las piedras de una cruz.

—Bésale el anillo.

Me encontré en los labios el frío promontorio de la piedra, la mano que oscilaba, aquel vacío hirviente dentro igual que cuando iba a la oscuridad.

—Qué sencillo, ¿veis, niñas? —dijo tía Concha—. Paseándose solo, a pie, por el paseo del Alta.

Le acompañaba un sacerdote delgado, alto, silencioso, con el manteo negro. Un poco apartado, un coche de largo motor.

—No. No. Si no me molestan... Dejad a los niños decía. Se acercaban chiquillos sucios, subiendo de los caminitos de Cueto.

—Vosotras a casa —dijo rápidamente tía Concha.

Millán, asomado a la tapia, por el lado del gallinero. Se reía. Estaba sin gorra y escupió tabaco del cigarro.

Tía Concha habló a tío Juan, rápida y bajo, al entrar en la biblioteca. Tío Juan dijo:

—¿Qué quieres que yo le haga?

—Qué ejemplo para los niños.

—No se le puede obligar.

—Mientras esté en casa, sí.

—No te metas en eso —dijo tío Andrés—. Más moscas se cazan con miel.

—Niñas —dijo tía Concha, con una voz nasal, elevadísima—, de rodillas; vamos a rezar un padrenuestro por los que no creen.

Se veía todavía al obispo por el paseo, despacio, esperando quien le besara. Nos arrodillamos sobre la alfombra, de cara a por donde pasaba él: era como rezarle.

—En desagravio —dijo tía Concha.

Y luego nos besó a todos con fervor.

—¿Por qué va de morado?

Me miró y echó los hombros atrás, tardó un momento en contestar:

—Siempre de luto por nuestro Señor, por nuestros pecados que le matan a todas horas.

Recalcaba mucho las palabras. Bajé los ojos.

—Es una disposición canónica.

—Los niños no entienden de eso, Juan.

—Para distinguirlos.

—El color de los príncipes de la Iglesia es el morado o púrpura.

Tío Juan me miraba. Tenía los ojos claros.

—¿Y un anillo tan grande?

—Tadea, no se pregunta. Las cosas de la religión no se preguntan.

—Déjala, Concha, qué bobada. Es el anillo del pescador.

—No cruces las piernas.

Estaba sentada sobre la espesa alfombra morada con volutas amarillas.

—No te sientes como los moros.

El cuchicheo de las primas.

—¿No ves a tus primas, cómo se sientan?

Odón acercaba tomos de *Blanco y Negro* encuadernado, y de *L'Illustration*, eran tan gordos, que hundían las faldas entre las piernas.

—Estírate. Tápate las rodillas.

Tía Concha me estiraba las faldas, rápida, mirando a Odón.

—Míralos tú también, ¿no quieres mirarlos?

—No, gracias.

—Qué niña tan rara, Tadea, hay que jugar. Hay que jugar como todos.

Me quedaba mirando por los cristales hacia el prado de enfrente, el prado de Piano.

—No te toques los zapatos, Dios mío.

La abuela parecía no estar. Miraba de frente como yo, con la mirada vacía vacía, con aquella quietud enorme, hacia el campo.

Por un caminito pedregoso y estrecho, con un muro de piedras apiladas, a la derecha del prado de Piano, bajaban los burros con cuévanos vacíos o con paquetes. Por las mañanas, desde el ventanal de nuestro cuarto, los veíamos llenos de cántaros de leche. Alguna vez un chiquillo asomaba por el cuévano. Las mujeres volvían a pie, o se montaban allí, al empezar el sendero del pueblo.

—A mamá le van a traer un hermanito así, metido en el cuévano.

—Las niñas no están nunca sin hacer nada, la ociosidad es mala consejera.

Lo teníamos también en la plana.

—¿Te marchas ya?

Tío Andrés no daba nunca explicaciones, podía no contestar aunque le hablaran. Rara vez íbamos los niños a la biblioteca cuando él estaba, menos Odón.

—Que cansáis a vuestro padre —decía tía Concha—, viene tan cansado, tantas preocupaciones en la cabeza.

—¿Qué estuviste haciendo? —preguntábamos. Odón se alzaba de hombros.

—Mirar revistas.

O cuando oía la voz de tía Concha:

—¡Odón, que tu padre te llama!

—Menuda lata.

Iba arrastrando los pies, empujando piedrecitas.

Tío Andrés estaba siempre en el sillón de cuero verdeoscuro que giraba, ante la mesa del despacho, siempre inclinado, con las gafas puestas, repasando revistas que habían llegado para él. Ana las quitaba la banda. Tía Concha decía:

—Se está poniendo al día.

Leía cartas, con la mano en el teléfono. Contestaba mientras leía.

—Que ni en casa te dejan descansar.

Tío Andrés tapaba el aparato con la mano, decía:

—Concha...

La tía se callaba.

—Callaros, que está el tío despachando su correspondencia.

Nos hablábamos al oído, o hacíamos gestos, mientras tío Andrés dictaba al aparato.

—No se habla al oído. No se hacen muecas.

—Ven acá, Odón. Voy a dictarte.

Odón se sentaba en el borde de una silla a su lado, se afanaba sobre un bloc.

—A ver, Odón, cómo empiezas a aprender —decía tía Concha, risueña.

Tío Andrés la miraba, daba golpecitos con el abrelibros sobre la carpeta, oírla le estorbaba para dictar.

—Odón, pide la casa de Eugenia.

—Pero Andrés, estará comiendo, habéis terminado tan tarde.

A través de los cristales de sus gafas, que tenía un lago pequeño de cristal dentro, justo en el centro —con rayas concéntricas como las aguas que se cierran sobre la piedra— no se sabía a veces si te miraba o no. Siempre que se volvía así, como si fuese ciego de repente, de manera que el cristal de sus gafas brillaba igual que los cristales de las ventanas al sol, tía Concha le miraba con fijeza, y, de repente, también, me parecía casi nosotras, lo que me parecieron la catedral, la mar y los tejados bajo la tormenta.

Inclinaba la cabeza sobre la labor, echaba el hilo, se oía el roce veloz de las agujas.

—¿Estaba usted comiendo, Eugenia? Escuche, con referencia a la carta...

Se echaba hacia atrás en el butacón verdebotella, se movía sobre la espiral negra con aquel ruidito de muelle forzado. Inmediatamente que empezaba a hablar se quitaba las gafas, despacio, las sostenía con su mano derecha encima del secante rosa o se pasaba los dedos por las coyunturas de los ojos. Los apretaba un poco con los ojos cerrados. Qué descansado parecía, de pronto.

Descansaba así, dictando, calmoso, seguro, parecía saberse todo de memoria. No se podía jugar, los primos volvían con mucho cuidado las hojas para que no hicieran ni siquiera ruido.

Sólo la abuela, a lo mejor, rompía esa quietud suspensa.

—Tápale bien los pies a tío Juan.

Le arropábamos con la manta las piernas, echado sobre el diván de medio círculo en la esquina de la biblioteca negra llena de libros, al fondo.

Tío Andrés colgaba, se ponía de pie.

—Si quieres, puedo hacerlo yo...

—Deja, Concha.

Iba tras él, con la labor entre las manos.

—Deja.

De espaldas, como Clota, él tenía los hombros caídos, más anchas las caderas, la cabeza inclinada hacia la izquierda, igual que Clota.

Tío Juan hojeaba un diario, se adormecía, el diario caía sobre la alfombra con ruido brusco de papel, o sobre su cuerpo. Se quitaba las gafas, dejaba de ser él. Cuando estaba así, con el periódico caído, sin gafas, con la boca gruesa un poco entreabierta, la abuela le miraba lo mismo que miraba al prado de Piano, fija, sin mover la cara.

Tío Andrés doblaba revistas con muchísimo cuidado, con sus lentos gestos pese a que siempre le temblaba el pulso, respiraba pausado, vaciando de una vez un aire retenido.

—¿Vamos, Juan?

Tío Juan besaba a la abuela, aún con la marca del almohadón en la mejilla y las orejas encarnadas.

—No vuelvas tarde, hijo.

Los primos besaban a su padre, que apenas agachaba la cabeza para dejarse besar. Mientras, se guardaba la cartera o cosas en los bolsillos.

—Aprende de tu padre, Odón, ni un minuto de descanso.

Se veía a Venancio abriendo las puertas del jardín de par en par, sentíamos el ruido de calentarse el motor, salía el coche con cuidado para no rozarse en las esquinas de la entrada.

—Toma, no estés mano sobre mano, haz algo para los pobres.

En vez del prado de Piano, aquellos ovillos de lanas maceradas, de nuestras viejas chaquetas deshechas.

—¿Cuántas tienes este año, mamá?

—Más que el año pasado, no sé. Francisca las guarda.

—Qué alegría van a tener las hermanitas.

Patrocinio iba en el coche, con las chaquetas y bufandas apiladas en el asiento de atrás, y a la vuelta, encogida, con la mantilla todavía puesta, se acercaba al butacón de la abuela.

—Tan agradecidas. Las Hermanas les harán rezar esta noche por las intenciones de la señora, por todos los de esta casa.

—Gracias, Patrocinio. ¿Habló usted con la Superiora?

—...más que nunca. Tanto pecado, señora.

Yo alcancé a Patrocinio en el pasillo.

—¿Por qué no me llevas al hospicio contigo? Díselo a la abuela: otra vez, díselo.

—Jesús, qué cosas dices. Jesús, qué niña.

Me miró asustada.

—No sabes lo que dices. Aquél no es sitio para las niñas de esta casa.

Y de repente:

—Daba una pena verlas, si vieras. Algunos tan pequeñitos... A saber quiénes son los padres. A saber si...

Miraba a todos lados del pasillo. Dijo, en alto:

—A jugar con las otras, chiquilla, siempre mareando a preguntas.

Julia también se asustó. También miró hacia atrás de prisa cuando lo pregunté.

—¿Quién te ha dicho que es al hospicio?

—¿Quiénes son esas niñas? Julia, ¿quiénes son sus padres?

Tiraba de su manga.

—Dime, ¿no tienen casa?

—Pero de qué niñas me hablas, de qué niñas.

—...y Patrocinio se las lleva.

—Son las niñas que sus mamás no quieren, las llevan allí de noche y las dejan en el torno.

Niñas que sus mamás no quieren. De noche. Dejan. Apreté mis dedos.

—¿Cómo duermen?

—Tienen unas salas grandes con muchas camitas. Las Hermanas de la Caridad tan buenas. Muchas se quieren quedar cuando son mayores.

Se enmendó, de prisa:

—Todas se quieren quedar.

—¿Tienen rejas? ¿Salen a la calle?

Julia rió.

—¿Rejas? Si están mejor que en casa, mejor. No escapan. ¿A dónde van a ir? No hacen falta rejas.

No hacía falta rejas, lo supe con certeza. Rejas podía ser un muro, un jardín, una avenida de plátanos, otra niña, voces frías de los mayores, voces burlonas o compasivas, risas de otros niños, voces untuosas, pegadizas como el aceite. Rejas podía ser aquello que te contenía aunque tuvieras ganas, venía no se sabía de dónde. A lo mejor en aquella casa las muchachas se burlaban o me miraban con compasión porque sabían que un padre también puede echar a su niña.

—Sabes, Julia, somos tantos...

Apretaba la cabeza contra el hueco de su hombro. Se puso rígida.

—Tía Concha dijo que mi padre no se ocupaba de mí.

—No se sabe quiénes son los padres —dijo con voz temblona, áspera, contestando a lo de antes.

Blancas camas. Niñas y niñas, que no podían cruzar las piernas, que no podían correr con los brazos abiertos, por los ojos burlones, que no podían besar, y besar, y besar.

—Es un crimen.

Yo miraba tan cerca su barbilla, los ojuelos inquietos y aquella mano. (No había que decir también: «Es un crimen» para no hacerla llorar.)

—...A Enoc le nació Irad,
Irad engendró a Maviael,
Maviael a Matusael,
y Matusael a Lamec.

Se balanceaba un poco. La ceniza y el rayo. El monte, la zarza ardiendo. La gran voz desde la gran nube.

—...vivió Adán después de engendrar a Set ochocientos años,
y engendró hijos e hijas,
fueron todos los días de la vida de Adán novecientos treinta años,
Y murió.

Era Set de ciento cinco años...

Perdíamos el tiempo, se nos iba, volvía, por fin, entre las dos, como una espada.

—...y murió. Era Enoc de noventa años cuando engendró a Cainam.

Y de aquella nada formó un cuerpo perfectísimo.

—...novecientos cinco años. Y murió.

No se pensaba ya en nada, no había nada, ni bueno ni malo. No había suelo de madera, con cera, ni cristales en la ventana, ni cómoda, ni Julia. Nada de nada, más que aquello, como la lluvia sobre la hierba. Las cosas estaban en su sitio, pero habían dejado de importarme; nada importaba nada, ni siquiera Julia, ni que se muriese, ni yo, ni que me muriese.

—Jared... Enoc... Matusael... Lamec...
palabras iban entrando, agujas en los sesos se clavaban.

—Murió... Y murió... Y murió...

Nos quedábamos como después de una carrera que se nos acabase el aliento.

Se sacudía el regazo.

—Éstos son los días del hombre sobre la tierra.

Mane, Tecel, Fares, de fuego, hierro a fuego sobre los lomos.

—...No quiero ser carga para nadie, el día de mañana...

Día de mañana parecía causarle terror lo mismo que la oscuridad a mí, como si día de mañana fuese un brazo peludo y largo que la iba a acogotar. Respiraba más de prisa, se secaba los labios con el índice, decía:

—Pido todos los días que me lleve a tiempo. Si no puedo valerme...

Se me secaba la garganta. Oía la voz áspera, débil:

—Fueron todos los días de su vida novecientos treinta años, y murió.

Con los ojos cerrados —y murió y murió y murió— volvían a pasar Adán y Set, Cainam, Jared, Enoc. Parecía consolarle tanto decirlo. Era contar corderos antes de dormirse, si se tenía miedo. Se le quedaba la cara llena de sosiego.

—Un año, cuánto tiempo...

—¿Cuánto tiempo, un año? Un soplo —lo decía riendo—. Un soplo, ya verás.

Se le quedaba la cara en calma, tranquila, arrugada, oscura, Julia.

Carraspeaba para aclarar la voz.

—Ya lo irás viendo.

X

Abría la ventana de su cuarto sobre una azotea revestida de cinc, donde en los días de sol se tendía la ropa —cómo sonaba la lluvia sobre el cinc, como un ejército—, con alta barandilla de madera en torno. Vi la tormenta.

—¡Francisca! ¡Francisca!

Voces de tía Concha desde el corredor de abajo. Nos apiñamos en la escalera. Francisca subía por la escalera principal, rápida.

—Aprisa —dijo tía Concha.

Eran las solas veces que vimos a la abuela acelerada, apoyándose sobre el brazo de Francisca. La veíamos de espaldas. Odón dijo:

—Tiene miedo.

—¿Qué hacéis ahí, petrificados? ¿Dónde está Mademoiselle?

En silencio. Yo mordía un poco la madera del pasamanos. Francisca había cerrado la puerta del cuarto de la abuela.

—Venid conmigo a la biblioteca. ¿Dónde está...?

—Ha cerrado las ventanas, no quiere luz. Se echa sobre la cama.

Tía Concha dijo:

—Historias. Con la conciencia tranquila...

Se sentó en el sillón de la abuela.

—No se tiene miedo. ¿Miedo a qué? A tío Bernardo le encantan las tormentas. En África son imponentes, y sale a verlas.

Ana, sentada, hacía girar la butaca de cuero delante de la mesa.

—Vamos a ocuparnos en algo, mientras pasa.

Clota se agarraba a su hombro. Odón arrimaba bien su silla.

—Con la conciencia tranquila no hay que tenerle miedo a nada —el chasquido azul fuertísimo—. Sólo sucede lo que Dios quiere.

—Pues en la aldea dice Tadea que partió una cama en dos, y que la mujer se quedó carbonizada.

—Eso son cuentos de aldea, hija. Mejor harías en callarte —me dijo—, en guardar esos cuentos para ti.

—Mamá, si cae un rayo, ¿se irá por el pararrayos al pozo?

—Claro. Pero no ha caído nunca en el tiempo que lleva la casa. ¿Por qué iba a caer?

La luz vivísima chascó cerca, a nuestras espaldas. Todos nos volvimos hacia donde estaban los salesianos.

—...todo lo que va a pasar lo permite Dios, lo tiene escrito en su libro allá arriba.

Clota se mordía las uñas.

—¿Era un cuento?

Dije:

—Pasó. Lo traía el periódico; además, lo leyeron en la cocina.

—Ahí ves, los niños no leen el periódico, ni entran en...

Rodaba el trueno.

—Mamá —chilló Clota, abrazándola.

—Calma, hija, qué va a pasar. Tú tienes la culpa, con tus cuentos. Hay que saber callarse, Tadea, les contagias... No cojas el teléfono, hijo, no debe cogerse durante las tormentas. No por nada, sino que la corriente...

En el corredor me detuve, retemblaban los cristales encima de mí. Subí las escaleras pegándome mucho a las paredes, crucé a la carrera sobre los cristales.

—Me has asustado.

Julia estaba sentada, arrugando los ojos, mirando hacia fuera, tenía las manos juntas sobre el regazo, no me había sentido entrar.

—¿Tienes permiso?

—Nadie vendrá a buscarme. La tormenta...

—Aún está lejos.

...terneros brincaban y entraban atravesando los macizos, espantados, escapándole a Eustaquio.

—Huelen tormenta.

La Mora *ladraba, ladraba, exasperada, loca, corría en dirección del trueno, con la grupa erizada, el pelo de la cabeza tieso, duro. Leontina se reía.*

—¿Quieres atrapar el rayo tú sola, muchacha? ¿Dónde vas ahí, como una loca? El rayo no tiene cueva.

La Mora *salía disparada, o por una vez temblaba, refugiándose entre nosotros, abriéndose sitio.*

—¿Dónde quieres meter la cabeza, condenada? ¿A dónde vas?

Subía el mugido de los establos. Nos apiñábamos todos en la cocina. Tina cerraba las contras, encendía velas, me cogía contra su delantal. A intervalos me tapaba los ojos con su delantal como si el rayo pudiera cegarme. Jenaro, Eustaquio, Eustaquia, Amable, María, juntos todos, dándonos calor; se cenaba a las tantas o se comía cuando escampaba. Así era. Tiempo mundo de la tormenta surgía tras las ventanas cerradas, y las velas, y el olor a humanidad de las mujeres sudadas o de las botas de los jornaleros, o de la grupa electrizada de la Mora, *de pronto indefensa, de pronto tierna, metiendo su hocico en el delantal de Tina, como yo la cabeza.*

—Quita de ahí, condenada.

Qué caliente, amigo, el cuello de la Mora. *Ojos de espantada noche.*

—Canta por mí la Africana —cantaba Elías, a veces, en los días de Navidad, cuando él estaba, y yo le decía:

—¿Pero has visto qué ojos tan negros, tan negros, como bolitas de café?

—Vente conmigo a Teruelllll...

En la oscuridad se le podían ver de cristal rojo, canicas de cristal enrojecido y transparente.

—¡Jesús!

Tina se santiguaba. Se hacían atrás con respeto.

—Voy a ver si el señor me necesita. ¿Llevaste una vela al señor?

Vuelve pronto, deseaba, como si en los pasillos hubiese muchísimo peligro, como si en la cocina amenazase peligro al faltar ella.

A veces, también, decían:

—¿Dónde estará el señor con una tormenta semejante?

Miraban desde las ventanas del pasillo, ladraba la Mora *hacia la verja de entrada.*

—Se habrá metido en cualquier parte, bueno es el señor —decía Jenaro.

—Si le ha cogido de camino...

—En cualquier parte. —Mascaba y escupía el tabaco—. Se habrá metido.

Voces bajas de oración, santas bárbaras benditas, un árbol no lo abarcaban tres los tumbó por medio, en su misma cocina la dejó seca, se coló por la chimenea, lo mismo que un serpentín, son cosas de otro mundo, algo no anda como debiera.

Hundir bien la cabeza. «No anda como debiera.» Mi parte de tormenta, mi parte de rayo.

La voz de Tina bisbiseando:

—Por los que navegan en alta mar, por los que no tienen techo, por los que están en peligro, por los viajeros, por los caminantes.

Ah, qué profundamente lo repetía yo.

—...y don Gregorio llegó, roció con agua bendita, dijo «Jesús» y se le espantaron los demonios: los echaba por la boca y por todos los orificios. ¿De qué te ríes, pagano, que te leo las intenciones?

Amable se sacaba la alpargata y pegaba a Jenaro con muchísima risa.

—Dale leña.

—Dale.

—Lo que te voy a dar.

El trueno nos callaba.

—Si se asusta la Linda *nos suelta el paquete antes de tiempo.*

—Tumbará el maíz; lo que faltaba.

—Va a pudrir la uva, toda esta piedra.

—No os hace falta vino.

—Díselo al señor. ¡Mira que no pudo venir con el maíz recogido!

La tormenta nunca llegaba a tiempo, nunca la maldecían.

—En cambio, por la Virgen, con lo bien que nos hubiese venido la tronada.

—Pero, Tina, ¿para qué quieres la tronada?

—Rompe las fuentes, niña, corre el agua.

Tormentas en el campo no tenía que ver con tormentas en los altos de la ciudad. No se oía a los animales. La *Diana* atada con la cadena gorda a su caseta, se habría metido dentro, sobre la paja del suelo. Se oía el cielo, nada más.

(—Mira a Ana que sigue haciendo punto como si tal cosa, ¿ves?

Tía Concha se movía como si no hubiese tormenta, se asomaba a la barandilla sobre la escalera grande.

—¡Patrocinio! No toques el timbre, Odón, que te puede dar una descarga.

Entonces alzaba la voz para llamar.

—¡Patrocinio!

Se inclinaba. Por la cristalera encima de ella llegaba una luz cerrada.

—¿Quiere decir en la cocina que bajen la voz, que se las oye?

Oía la tormenta; se hablaba de la tormenta, me llegaba el resplandor entre las junturas de las ventanas o de mis ojos, pero no la conocía cara a cara, sin cristal.)

Julia salió a la tormenta como si se moviese en ella igual que entre Jared y Enoc. Salimos a la azotea de su cuarto y el viento negro me despejó de pelos la cara, a ella le desprendió unas mechas de su moño, se las atravesó en los labios. Batía la ventana, medio lado sujeto. Entre las dos la aguantamos mientras buscábamos el agarrador; se nos escapaba. Era temprano, pero atardecía. Primero se oyó el trueno lejos, como si el cielo tuviese un pozo también, y le devolviésemos la voz, retumbando entre nosotros. Los relámpagos cimbrearon sobre el Astillero. Nos apretamos contra la barandilla, mi mano en su mano.

Fue acercándose, creciendo, hinchándose.

—Viene por El Sardinero.

Venía dando la vuelta, alcanzándonos por detrás. Retemblaban los cristales, apenas una vibración al principio, y luego crepitaron como si fuesen a estallar.

Apretadas contra la barandilla, sellados los labios por la fuerza del viento, el mundo se abría en fisuras de luz arriba, en grietas de luz abajo, clarísimas, instantáneas. Nos sacudía el trueno.

Se puso a llover con dureza, caían avalanchas de agua sin descanso sobre el cinc, rebotaba enormemente, el trueno se alejaba.

Dije, con la voz sofocada por el viento:

—Granizo, Julia.

Julia ni se volvió.

—Agua.

No se movía, enfrentada con el cielo, de perfil me pareció severa, me pareció desconsolada. Arreciaba. Apretó más mi mano, no sentí nuestras carnes mojadas, sino hueso con hueso. «Luego tendré sólo los huesos.»

La lluvia le escurría por la cara, le empapaba la ropa; a través del agua su cara, con los pelos despeinados hacia atrás. Me pareció que se me iba. La besé en la mano. Empezó a reírse, hipando, entrecortada por el viento, una risa menuda que me sacudía también. Se rió con toda la cara mojada.

—Tadea —me dijo—. No existe el mal.

Una luz vivísima firmó sus palabras, una luz quebrada, anaranjada, azul. Entre aquellas luces súbitas entreví la bahía, los tejados, la catedral; la mar parecía encrespado acero viejo, los tejados y la catedral cosas débiles y pequeñas, a merced de los elementos.

Me secó la cabeza con su toalla. El cuarto, la silla baja roja, la cama, el suelo brillante, la pared blanca, la cómoda, el espejo. Había esperado verlo diferente, lo miraba.

—¿Has tenido miedo? ¿Tuviste miedo? —se apuraba, de pronto—. ¿Te habrás enfriado?

Dije:

—No me ha dado tiempo.

Separó la toalla de felpa para oírme. El calor de la friega seca escocía la piel. Dijo de aquellas cosas que no sabía si eran del libro o de ella:

—Sólo hay que tener miedo al hombre interior.

Se lo conté a Odón, que subía hacia nuestro cuarto:

—...los rayos a cintarazos en el cielo, los truenos rodaban como si Dios empujase bolas por el suelo del cielo.

—No te creo.

—Palabra.

—No te creo.

Ya no estaba segura.

XI

No sé qué gusto le sacas a estar con Julia. Dice mamá que es faltosa.

Clota se llevó la mano a la frente, hizo un torniquete con el dedo en la sien.

—La pobre abuela la trae de caridad.

—Clota, no digas eso delante de Tadea.

Clota se puso colorada, inclinó la cabeza hacia el hombro.

—¿Tu padre tiene dinero?

Apretaba aquel pedacito de boj entre las manos. Trituré las hojitas.

—Déjala, Odón.

Dijo, bajo, con muchos aires:

—No se debe decir

mirándome para que la oyera.

—No es de niños buenos humillar a vuestra prima.

Mascaba despacio las hojitas de boj.

—Tiene más dinero que vosotros —dije.

Escupí el boj. La corteza amargaba.

—Pues papá ha dicho que vivís de las tierras, y que las tierras no dan nada, y que el día menos pensado. ¿Tiene coche?

El viejo coche que conducía Jenaro, que tardaba tanto en arrancar, se le daba a una manivela.

—Sí —dije—, tiene coche.

Me reí.

—Tiene coche, tiene caballos, tiene vacas y terneros y maíz y campos y río...

Abría mucho los brazos, no los miraba.

—El río no es de él.

—...y río, y río, y unos montes enormes, y árboles, y árboles, y árboles.

Me dejé caer sobre el banco, llorando. Aplasté contra mi codo doblado:

—Tiene yo.

—¿Estáis contentos? Esto no se hace.

—Pero, Suzanne, era para saber. Mamá dice...

—A callar.

Ana se cuadró.

—Mamá dice que tendrás que trabajar el día de mañana, para que lo sepas, que no tendrás más remedio, que debían enseñarte desde ahora.

Eché a andar hacia el estercolero.

—No vayas, Odón. Dejadla.

Mucho rato de bruces sobre la tapia, mirando el campo de fútbol. El sol me daba sobre los brazos cruzados, sobre la cabeza. Un pedazo de delantal negro desgarrado cerca de una portería. La red. Olía el abono.

—Tadea —desde el otro lado del verde la voz de Suzanne—. Tadea...

Llamaba bajo.

—Anda, todos juntos.

Nos anudamos las chaquetas a las caderas, al llegar frente a la terraza vi que Clota me miraba de reojo. Nos entró la risa. Nos cogimos del brazo para entrar.

En la antecocina, Julia disimulaba tras las puertas del armario blanco. Asomó la cabeza.

—En el pueblo, sabe, a estas horas se come.

Temblequeaba en su mano un vaso pequeño con vino blanco. En el estante, posado, un plato con queso.

—Siento aquí una roencia y una tristura.

Hacía círculos con su mano sobre el estómago. Volví la cabeza para no verla, empecé a subir con Clota las escaleras.

—Es tonta.

—Siento una roencia y una tristura... —imitaba Ana, empujándonos por detrás, mientras subíamos las escaleras. Se rieron, yo también. Empezaron a gritar:

—Una roencia, una tristura...

—Vite, vite —decía Suzanne, risueña.

Me reí con aquel calor en la cara, en las orejas, con miedo a no llegar arriba de la escalera.

—¿Qué nos toca?

—Dar de comer al hambriento, dar de beber al sediento, redimir al cautivo.

—Sin cantar.

El tonillo de Clota:

—Dar posada al peregrino.

—Tadea, ¿por qué esperas a pedir permiso para salir a que estemos en clase?

Julia estaba de pie, abriendo el cajón de arriba de su cómoda.

—¿Por qué estás siempre apurada? ¿Por qué andas siempre escondiéndote? A ti no pueden hacerte nada.

Me miró, pestañeando de prisa.

—¿Con qué vienes ahora? ¿De dónde sacas eso?

Se había puesto encarnada, miraba hacia la puerta.

—No estoy apurada, por qué...

—Te escondes detrás de esa mesa para tus oraciones, te tapas detrás del armario para comer.

—No me tapo —su voz débil y áspera, espinosa—, no tengo por qué taparme, no sé de dónde sacas esas cosas.

Se sentó. Separó un poco la silla baja roja de la pared y se sentó como sin darse cuenta. Dijo, cansada:

—Trato de no molestar, Tadea, cuando se está en casa de otro...

Se llevó la mano al labio y se quedó así un momento.

—Pero es tu prima, ¿no es tu prima?

—Tan buena, tu abuela, nunca le agradeceré bastante. Pero no hay que abusar, por eso mismo. Cada uno debe estar en su puesto.

(No me mires con esos ojos.)

—¿Por qué no comes en la mesa grande? ¿Por qué no?

Los ojuelos inquietos, aquella rojez violácea, a través de

la piel tan oscura. No se ponía roja, se ponía amoratada.

—¿Qué haría yo allí? —soltó aire del pecho—. Hablan de otras cosas, y además, ¿a dónde voy yo con esta facha? No me gusta ponerme delante de nadie.

Me tapé contra su bata, sobre las rodillas.

—Ay, Tadea. Ay, Tadea.

Era un ay por mí, no por ella. Yo también decía por dentro: ay, Tadea.

—Tardó en comer, Tadea. Y además...

(Se te escurre la sopa.)

—No lo puedo remediar, pero procuro no estar siempre en medio.

Dije, sin levantar la cabeza:

—¿Quién está avergonzada, Tadea?

Se rió un poco. Me acarició la nuca.

—...en la esquina del diván, les das siempre la razón, te ríes todo el tiempo de todo lo que dicen, pareces boba.

—Será porque la tienen.

—No.

—La tienen. Sólo que tú no quieres verlo.

Repitió aquello de «el que se humille será ensalzado».

—Yo no quiero.

—Ya lo harán, aunque no quieras —se rió—. Nadie pide permiso.

—Me da rabia.

—Ya te la comerás, la rabia —me pasaba la mano por el pelo—. Aprende una a comérsela, en esta vida.

Dijo «en esta vida» con la cara con que decía «día de mañana».

—Pues Leontina me dice: «Y si van y te molestan, vas y les plantas cuatro frescas.»

—Es una ignorante.

—Sabe más cosas que tú.

Julia me agarró la mano al pasar yo hacia la puerta, con el labio de arriba levantándosele.

—No te vayas. Bien, Tadea.

Aquel labio sonriéndole, guiñando los ojos, como si me buscara algo en la cara.

—Te pareces a tu madre.

—Pues dicen que no me parezco. Soy de la familia de mi padre, ¡de la familia de mi padre!

—No porfíes, nadie te lleva la contraria. En el arranque, me la has recordado: defendía lo suyo como tú, terca. No conozco a la familia de tu padre. A él sí.

Quedó un momento callada.

—No debías ir con cuentos de una casa a otra.

Me atraganté.

—Nunca cuento.

La voz de tía Concha: «Hay que saber callar.» Julia me sonrió.

—Me lo dices a mí sola, ¿verdad? Soy tonta, pero allí, ya comprendo, Leontina te ha criado.

La veía en el espejo, disculpándose, a ella en el fondo, y a mí pegada.

—No hagas muecas. ¿Te duele algo?

La nariz, los labios apoyados sobre el frío escurridizo espejo. ¡Ay de ti, Corazein; ay de ti, Betsaida!

(—Ésta es la hija de la pobre Raquel.

—Pobrecilla. ¿Es de la edad de Ana? Son iguales.)

sentados en ceniza... penitencia

(—No.

—Bajaba los ojos. Sentía calor en las orejas, en los ojos.

—Pobre hermana, tanto hijo seguido, aquella vida, aquella casa, donde Cristo dio las tres voces, cuando una madre se muere, si deja hijos pequeños detrás, deberían meterlos con ella en la misma caja, es lo que yo digo.)

...y tú, Cafarnaum, ¿te levantarás hasta el cielo?

(—...un hombre solo, tanta libertad, domarla, aprende cosas, los chicos, pronto se consuela, los hombres ya se sabe, se lo dijimos: Pilar y yo se lo dijimos cuando vino a traerla, la primera vez, nos escuchó con una impertinencia. Ya sabes, cuánta guasa. Nos dijo: «¿Habéis terminado? Anda. Anda. Gracias, hijas. Ocuparos de vuestros hijos.» Pero luego bien sabe mandarnos a ésta. Encantados de tenerla, fíjate. Va entrando poco a poco. Mi pobre madre... Un bien que se le hace, una ayuda tan grande. Poco a poco. Pero en dos meses que ya, todo perdido, hay que volver a empezar. Manos de muchacha, en manos de muchachas. Un hombre solo... No, si es lo natural: todas hubiérais hecho lo mismo, Raquel murió tranquila sabiendo que mamá se haría cargo de ella. No se parece nada, ¿verdad?

A la abuela se le quedaban los ojos quietos.

Si hubiese algún sitio, algún agujero en la tierra en donde a una niña no se la mirase.

—Mamá dice... Pero no se parece en nada.

La quietud enorme de la abuela, como si no oyese, como si no viese.

—Tan alegre, corría por la casa, papá siempre riñéndola. No está oyendo, las niñas no se enteran. No la esperaba ya, el médico había dicho... Se equivocó, ya sabes, siempre se equivocan. Aunque oiga, no sabe lo que digo, no comprenden, los niños. Cuando menos lo pensaban... A última hora cambió. Perdió el carácter.

Laabuelalabutaca.

—Poneros juntas. A ver: poneros juntas.

Nos medían. La abuela en su rincón, en su butaca. Alguien suspiraba. Lo que importa es ser buena. No basta ser, hay que parecer. Lo que importa es ser buena. No basta ser. Parecer. Importa. Parecer.

—Tina, ¿cómo era mi madre?

—Muy guapísima.

—¿Se parecía a mí?

—No. Más buena que tú.

Algo alegre, indecible, entre las dos, un soplo vivo.

—Hacía caridades.

Planchaba y daba gusto oír los golpes de la plancha a un tiempo igual.

—Era muy buena moza, y morena. Entró por esas puertas, me parece que la estoy viendo.

La plancha se dormía.

—Se estaba en la salita o en su cuarto. Era tan cumplida. No andaba así, con nosotras.

Se rió.

—Tu padre con su genio, y le llevaba por las narices.

La plancha volvió a dar.

—Andaba tras ella por un pie, comida de su mano.

Mi padre inclinado sobre la mano blanca y regordeta. «Dame de beber.»

El sol me calentaba.

—Se salía siempre con la suya, a la chita callando.

Se reía.

Era mucha mujer.

—¿Cuándo perdió el carácter?

—¿Quécarácter?

Lo dijo así todo enhebrado, pero de repente se paró de planchar y me miró.

—¿Qué has dicho? Vuelve a decirlo, que yo lo oiga.

—Tía Concha lo dice a las visitas, perdió el carácter, tantos hijos seguidos.

Leontina me dijo muy despacio:

—Perdería el carácter con ella, que aquí nunca lo perdió.

Y de repente se sentó, se llevó el delantal a la cara.

—Vinagre debían darla, vinagre para beber. Esto va contra quien yo me sé, tía bribona.

Se apartó el delantal.

—De ésta no pasa, esto lo sabe quien lo tiene que saber.

—No se lo digas a papá, Tina, no.

—¿Agriarse? Piaba por el marido. Para agriarse ella que tuvo siempre envidia perra de su hermana, con un marido siempre a sus negocios lo mismo que si la casa le quemara los pies: tu padre no tuvo más negocios que la mujer, en vida de ella... Sí. Era alegre.

Se puso de pie. Su sombra crecía detrás de ella.

—Alegre —lo dijo con furia, como si quisiera que la voz atravesara paredes y llegase hasta laotracasa— hasta el día mismo de morir: alegre por tu padre, y si miento, que se me caiga la cara.

Dijo de una manera tan dulce y hasta dentro:

—Era su hombre y ella lo sabía, más lista que todos ellos.

Volvió a coger la plancha.

—Alegre hasta morir, aunque no quieran, te lo digo, que he nacido en esta casa y me sacarán con los pies para fuera.

Me dijo con muchísimo asco, como si verme fuese una cosa repugnante:

—Más alegre que tú, ahí tienes, y que yo, porque a lo mejor a ti sólo te ha tocado un cacho de la alegría de ella, que ella pudo hacer tantas partes.

Metió la mano en el tazón con agua y salpicó la ropa.

—Tantos hijos no le llevó a la alegría. Los tuvo porque quiso, como todas las mujeres de este mundo, no me vengan con cuentos, que sabía lo que era. Los tuvo y dejaba de dar el pecho porque esperaba otro.

—Uno cada año.

Me siguió mirando con asco.

—Uno cada año, grulla ¿y qué? Uno al año. ¿No da una cosecha al año la tierra cuando...?

Volvió a hablar entredientes sin mirarme. La plancha golpeaba, olía a pan de horno.

—La soga tras el caldero, la soga, si me entiendes. La envidia que la comió, a esa podrida, que mire por el suyo, trabajo le doy. La nuestra no dejó de parir mientras estuvo entre nosotros.

Se rió. Se rió de verdad, como si en el parir hubiese muchísima alegría. Se alzó de hombros.

—Y este pobre con miramientos, y contigo que para aquí, que para allá, por cumplirle la voluntad. No sabía lo que decía, cuando se está en las últimas no se sabe. Yo ya se lo dije a tu padre, pero una es una ignorante, y a callar. Los hijos en los colegios... No te digo yo.

—Los hombres se consuelan.

—¿Los hombres...? —me miró estupefacta—. ¿Quién te ha metido eso, quién?

Blandió la plancha de hierro contra mí. Se le veía la brasa por los agujeritos.

—Si se consuela que se consuele, anduvo en vida de ella arrimado a sus faldas. ¿Falta a alguien? ¿Os quita de lo vuestro a vosotros? Pues hace requetebién, hace lo suyo.

Gritaba:

—Tal día hace un año, si se consuela. No debe nada a nadie. ¿O es que duele? Se lo puedes decir, se lo puedes meter en el rabo a la tía Concha ésa, cara de mosca muerta.

Se encaró conmigo.

—*¿Vienen por aquí? ¿Se ocupan de sus cosas? ¿Le acompañan?*

Levantó las manos como las tablas de la Ley.

—*...pues que se jamen.*

Julia al fondo.

—Las horas muertas mirándote, presumida. Un día se te va a aparecer Satanás.

Si se recibe oblicuamente un rayo de luz sobre una superficie pulimentada, el rayo vuelve a emerger o salir de ella, cambiando de dirección.

Me volví de prisa. Julia tenía aquella mano, pero del otro lado. La tenía. No la tenía. La tenía. No. Si una imagen...

—No frotes con el delantal, para eso tienes el pañuelo.

—Se me ha caído. No lo encuentro.

Sombra es la región de espacio que un cuerpo opaco priva completamente de luz. Penumbra es la parte de espacio privada parcialmente, situada entre la sombra y...

Tomasa salió del estercolero toda colarada, me apartó con las manos como si no se hubiera dado cuenta de que era yo. Fui a entrar y me topé con Millán, nos abrazamos sin querer.

—¿Qué haces tú aquí? ¿A qué vienes?

Tenía las manos duras y secas, me agarraba los brazos.

—¿Quién te ha mandado?

No le podía contestar, miraba sus ojos juntos y estrechos.

—¿Tampoco aquí podemos hacer lo que nos da la gana? ¿Ni en el estercolero nos dejan? ¡Contesta!

—Vine... Se me cayó el pañuelo antes.

Qué poco pelo tenía Millán sin la gorra, seco y separado.

Dije:

—Estaba ahí.

El pañuelo no estaba.

—¡Largo, mentirosa!

Ardí.

—Es verdad.

—Díselo a otro, búscate quien te crea.

Algo crepitaba, empujaba, subía, explotaba al fin. Le di con fuerza en las espinillas.

—¡Uy!

Dijo, entre dientes:

—Mocosa de mierda.

Me sujetó las dos manos con una sola, me enganchó las piernas con la suya. Me faltaba el resuello.

—Patea ahora, hija de cura.

Cabezas rapadas, cardenales, corriendo al río. Ahí viene el ciclón. Brazos levantados.

—Te atreves porque no soy un chico.

Se rió. Aflojó un poco porque se rió de verdad, y me miró más de cerca.

—Me atrevo con todos los hombres de esta casa juntos.

—Millán, ¡por el amor de Dios!

—Déjeme, madre.

—La niña...

—La puta ésta... ¿O es que no podemos ni vernos a solas, los pobres?

Con aquella seca, ardiente, estrangulada voz. Levantaba los brazos, gritaba a su madre.

—¿Es que sólo los ricos pueden besarse? ¿Es que...?

—La niña, la niña.

—La niña, la mierda ésta, siempre por medio.

Fui hacia la casa. Sentía en las canillas el roce del zapato de Millán.

—¿Qué pasa? Cuánto susto... ¿De dónde vendrás tú con esa cara?

Francisca andaba que no se la sentía, en zapatillas; tampoco a Julia se la sentía, pero no asustaba.

En la cocina estaría Tomasa. Subí la escalera con las rodillas flojas.

—¿Ya estás aquí de vuelta? ¿No tienes clase?

—Están bañando a Clota.

(Los ojos secos y estrechos de Millán.)

—¿Por qué no me quiere Millán?

—¿Qué Millán...? Ah, Millán. ¿Por qué había de quererte?

(¿Por qué había de quererme? ¿Por qué había de quererme?)

—Tienes el calcetín manchado. A ver. Te has hecho sangre.

—Deja.

—No es nada, tienes levantada la piel. ¿Contra qué te lo has hecho?

—Antes.

Me miró, aún pegajosa la sangre, pegado el calcetín.

—Ahora —dije, sin mirarla—, me tropecé.

—Vete a que te den alcohol.

Tomasa taponando la escalera.

—Ven, te voy a decir una cosa.

Di un rodeo.

—No te escapes, ven aquí. Chiquilla.

El diván, el olor espeso, mareante, las batas colgadas detrás de la puerta.

—Como le digas a alguien que me has visto...

Sacaba algo del bolsillo.

—Un pañuelo que yo sé para en manos de tu tía. Yo le diré dónde apareció el pañuelo.

Estaba hecho una bola pequeña, sucia de barro.

—...yo le diré que lo encontró Venancio, sí, señorita; Venancio, cumpliendo con su obligación. Yo le diré que llevas a Odón allí.

El pañuelo desapareció detrás del peto de su delantal.

—A ser buena, y si no, aquí está.

Se rió, sentí contra mí toda la masa movediza de sus pechos.

—¿Qué te ha dicho Millán?

—Nada.

—¿Qué te ha dicho? Pura quiere saber qué te ha dicho.

—Nada. De verdad.

—Lo dices o...

Se llevaba la mano tras el peto.

—Mocosa de mierda, hija de cura.

—¿Te ha llamado...?

Se rió, se rió con aquel bamboleo y aquel olor que mareaban.

Apoyé la cabeza sobre la barandilla, pasé mi frente por la madera lisa, dura, suave.

—¿Qué te pasa? ¿No te encuentras bien?

Abrí los ojos. Suzanne tan lejana.

—Demasiado sol. Te ha dado demasiado el sol en la cabeza, en el estercolero. No te bañes hoy. Vete a la cama.

XII

Julia se marchaba sin que se enterase la tierra.

—¿Se ha ido?

El cuarto en orden, estirada la colcha, ciego el espejo, la silla baja rígida, la cómoda brillante, la ventana... Ni una mota de polvo en ningún lado, ni estampas sobre el mármol.

—No me gusta decir adiós.

No hablamos de la marcha: cuando llegaba era como si estuviese para siempre, resultaba absurdo que no estuviese antes, una vez allí.

—No me gusta decir adiós.

Se reía, se reía apretándose el índice doblado contra los labios.

Abrí los cajones de la cómoda con cuidado para no hacer ruido. Cedieron en seguida. Al fondo de ellos, la cretona con flores, planchada, limpia. Buscaba. Miré los tejados desde la ventana. Era, de pronto, un cuarto que despedía.

—¿Qué andas cerniendo?

Abrí la ventana como si hubiese ido a la azotea. Obdulia, en dos tirones levantó la colcha, levantó las mantas.

—Deja abierto, que se airee.

Me marché. Corrí a la ventana de mi cuarto. Miraba el portón de entrada, fijo el portón de entrada, las marcas de tantos pies en el guijo. Un sol frío lo distanciaba todo. El cielo lejos.

—¿Se marchó ayer Julita? —preguntó Clota.

—Sí. Haz tus deberes.

—¿A qué hora se fue?

(Cállate.)

—Estabais bañándoos.

Estábamos bañándonos, o esperando nuestro turno a la puerta, sobre el largo banco de cuero, balanceando los pies, riéndonos, abajo, al final del pasillo, cerca de la capilla, y Julia se marchaba por los pasillos, por las escaleras. Fugazmente, el cabás con la lupa, con los libros santos, vacío de nueces, los zapatones negros, el pañuelo. Apretaba los ojos. Me apretaba por dentro.

—Tiene que trabajar —decía tía Concha, en la terraza.

Cuando Julia estaba para marcharse —caímos luego en cuenta— decían mirando a las ventanas:

—Ya pronto, la primavera.

Después de comer, si hacía sol, nos dejaban estar en la terraza, todavía sin muebles, todavía enorme, resonante. Era un sol frío y blanco. Tía Concha decía: un sol traidor.

—Tiene que vigilar lo suyo.

—¿Qué es lo suyo?

—Fíjate, pobre, unos praditos, una vaca, una casita tan pequeña.

—¿Por qué unos trabajan y otros no?

—Dios lo ha dispuesto.

—¿Por qué lo ha dispuesto?

—Cállate. Las cosas de Dios no se preguntan.

—¿Has estado allí alguna vez, mamá?

—Hace muchos años, cuando fuimos a vender unas fincas. Hace quesos.

—¿No tiene a nadie, a nadie?

—A la abuela no le gusta que no tenga a nadie, pero ella dice que no hay trabajo para dos, que no vale la pena. Está muy bien así, en su casita, con su vaca.

—¿Y la vaca?

Yo sabía que la vaca se la cuidaba Martín, un vecino, y que su mujer daba una vuelta para ver cómo iba todo.

—Se la deja encargada a alguien. Aprended, veis, qué don tan grande estar como estáis vosotras.

Me miraba a mí, era a mí a quien miraba.

Sin preocupaciones, sin que os falte nada. La pobre Julita...

Qué don tan grande, Julia.

—Tadea, atiende. Parece mentira, tanto querer a Julita, tanto andar tras de Julita, pegada a ella todo el día, y ya ni te acuerdas.

Me miraba como si contemplase algo extraño y asqueroso, lo mismo que mirábamos a los limacos negros y grises, estriados, grandes caracoles sin caparazón que dejaban un camino de baba al arrastrarse por los árboles.

—Se ha marchado ayer y te diviertes en subirte a la barandilla mientras hablamos de ella. ¿Es que no tienes corazón? Mira a tus primas.

Apretaba contra su pecho la cabeza de Clota. Después parecía que el cuello se le estirase, que la distancia fuese mayor entre ella y yo.

—No andan con tanto aspaviento cuando Julita está, y ahora... ¡Falsa!

Desde la barandilla se alcanzaba el parís-ardiendo, la enredadera de rositas rojas rojas. Las tenía en la mano como si mi mano fuese roja y suave, así.

—Dejada de la mano de Dios —oí.

—Dejada.

El cielo se elevaba, transparente. Venancio se había quitado la bufanda de punto negro de tantas vueltas.

—Se le cae a una el alma a los pies.

—¿Por qué tiene el brazo así, Julita?

Qué distante, Julia. Como si no tuviese nada que ver con Julia, como si hiciese tanto tiempo.

—De nacimiento. Cuántas gracias tenéis que dar a Dios.

Cuántas gracias tienes que dar a Dios, Julia. Y yo por ti, Julia.

Corté la rosa. Me la puse en la boca.

—No destroces las flores. Las flores no se arrancan. Las flores no son para jugar.

Cuando tía Concha se fue, Clota y yo las machacamos sobre un azulejo con una piedra.

—Vamos a hacer un jugo para Dolly —decía Clota,

bajo, sofocada, dándole con la piedra.

Dolly estaba espatarrada contra la barandilla, con su cara pánfila de pepona y sus ojos de cartón piedra. Tenía los labios entreabiertos.

—Toma, tonta, toma.

Le apretábamos los pétalos machacados y aquella agüilla, los labios rosados quedaron tiznados de marrón.

—¿Por qué no bajas la tuya? Anda, jugamos a colegios.

Dije:

—Juegas con tu madre.

Clota me miró como si no me hubiese oído bien.

—Sube por Pepa.

Subí saltando las escaleras de tres en tres, sin mirar hacia la mesa oblonga blanca con sus tapetes de hule blanco, en el comedor de Julia. (No. El comedor de Patrocinio.)

—Se llama antes de entrar, Tadea.

Suzanne estaba echada sobre la cama, no había retirado la colcha. Era su hora de descanso, después de comer. La creí dormida, con el brazo desnudo cruzado sobre los ojos. Estaba en combinación, una combinación azul, sin medias y descalza, las plantas de los pies duras y delgadas, unos tirantes muy finos, muy estrechos, tenía la boca despintada, pero el cigarrillo aún humeante, aplastado sobre el platillo, con marcas rojas.

El pelo tan rizado sobre la almohada. Levantó los bordes de la colcha y se cubrió las piernas.

—¿Qué miras? ¿Qué has venido a buscar?

Las contraventanas entornadas. Olía ácido y seco. Dije:

—Eustaquia, allá, fuma tagarninas.

Se echó a reír, sin contenerse, incorporándose sobre un codo, y de ese hombro el tirante se le escurrió.

—¿Qué dices? ¿Tagarninas?

Yo me reí también. Brinqué sobre los muelles del diván.

Se dejó caer de nuevo sobre la almohada, tenía la piel lechosa.

—Dices esas cosas y luego te castigan.

—Tina hace que no la ve, pero refunfuña todo el tiempo, cuando fuma, y Amable le hace ascos, dice: «Apesta tu cuarto» y «viciosa».

Cuando reía se le hacía un hoyo en el bajo de la mejilla.

—Tina dice...

—Ven aquí.

Me acerqué a la cama. La cama era muy grande. Me pasó su brazo por el cuello y me atrajo contra su almohada. Dijo:

—Qué desgraciadas somos tú y yo.

Me eché atrás. Olía dulce y fino su aliento.

—Un cardo, como dice tu tía, un cardo borriquero se dice, ¿no?

Se rió, suave y seguido. Abrió el cajón, sacó una cajetilla, encendió un pitillo, dio dos o tres chupadas y le miró el borde.

—¿A qué sabe?

—¿Quieres?

Me separé más de la cama.

Parecía haberse olvidado de mí. Cruzó de nuevo su brazo izquierdo, ahora sobre la frente, tenía pelos rizosillos y cortos, muy negros y encrespados debajo del brazo.

—Estate ahí y no me des la lata.

Me eché yo también sobre el diván espeluchado verde, cerré los ojos. Olía extraño. Estaba bien. ¿Cuándo volvería a la aldea? No había que preguntar. Era peor. Los niños no preguntan. Arréglate, Tadea, que mañana te vas. Pasaba a recogerme don Magín, el salesiano. Tenía un ojo de cristal, sin párpado, por la coz de una burra, llevaba siempre gafas negras. ¿Cómo dormía con el ojo abierto? Su familia vivía a una hora de tren de la casa de mi padre. Los besaba al marcharme. La abuela no movía la cara mientras la besaba: veía sus ojos clarísimos. Una mordedura leve dentro, igual que cuando te pellizca la yema del dedo una tijereta, con sus duros finos ganchos cortos.

Todo el tiempo, hasta que el tren arrancaba, la tijereta dentro. Pero en la estación los grandes trenes, bajo la marquesina cubierta de cristales opacos, aquel enorme reloj con los números grandes y negros, el tablero negro escrito con tiza, los hombres de blusón y gorra maniobrando. Pasaban las carretillas de los equipajes, apilados.

—Cuidado.

Alguien la conducía de espaldas.

—Cuidado.

Hasta la estación bajaba conmigo Patrocinio, Mariano colocaba mi maleta en la red. Me sacudía el pelo con su mano morena y grande, sudorosa. Ponían una cesta con una servilleta.

—A ver si no molestas a don Magín, que tiene que leer sus oraciones. Tú quietecita. Ya sabes lo que ha dicho la abuela.

El pitido del tren me partía dentro, el primer bamboleo, arrancar. Patrocinio abajo, derecha, con su mantilla negra —iría a rendir cuentas a la abuela, a decirla «tan contenta» como cuando volvía del hospicio—, Mariano de azul marino con su gorra en la mano, agitando la gorra. La risa morena y blanca de Mariano.

—No andes por el pasillo, no te vayan a quitar el sitio.

Me sentaba. Miraba por la ventana.

Miraba por la ventana. Todo aquello tan rápido, tan rápido, los árboles como una hoja vuelta, como un viento, los postes de la luz, el campo verde, aquellos dos alambres que no acababan nunca, que no llegaban a juntarse, me conducían, rayaban el paisaje. La luz iba por allí, y las voces. Don Magín leía su breviario. Con las gafas tan negras no se sabía nunca. Probaba a aguantar con un ojo cerrado y otro abierto. El compartimiento se llenaba. Se encendían las luces, olía a carbonilla. Don Magín bajaba la cesta de la merienda, partía el bocadillo con una navaja. Tenía una navaja con sacacorchos.

—A ver qué nos han puesto. Bocadillos, tortilla, carne.

Abría todos los paquetes de la cesta.

—Siempre tan espléndida, doña Raquel. Hay comida para dos días. ¿Te dará pena, verdad? Tan bien atendida. Niñas para jugar.

El viento pasaba, o eran los árboles. Altos árboles que llevaban a casa.

—Ya volverás. Tres meses pasan pronto.

Altos árboles, verde. Aquel sabor pastoso a carbón en la boca.

—¿Has llorado un poquitín al decir adiós a la abuelita? ¿No? ¿Nunca lloras?

(Don de lágrimas —había dicho Julia.

—¿Por qué tapas la cara, por qué te escondes?

Hundida la cara contra su bata negra; olía a jabón, a rancio, a tibia.

—Pasa, pasa, pronto pasa.

Su mano por mi espalda.

—Pasa.

—...se me escapa, delante de la tía, por más que hago. Dice «ya tenemos las lagrimitas».

Julia me dijo:

—No te dé vergüenza.

—...y las primas también. Yo no lo puedo remediar. Aprieto, aprieto.

—De no llorar puede uno avergonzarse.

Dijo:

—Don de lágrimas.

Se quedó un momento quieta. Las lágrimas se me secaban por la cara.

—No te importe. Jesús lloró sobre Sión, lloró sobre Lázaro.

Miraba por encima de mí, por la ventana, más allá de los tejados, más allá de la catedral, más allá del Astillero y los pueblos del otro lado.

—En Asturias también lloramos.

Con Julia no importaba.)

—Límpiate esos mocos.

Tina lo llamaba mocos. Me daba su pañuelo tan tieso.

De noche hacíamos trasbordo. Una estación de noche, con los hombres medio dormidos, el jefe agitando la campana, don Magín y yo en un cuarto con un banco de madera corrido, donde había otras gentes, y un mozo nos ponía el equipaje al lado. Don Magín decía:

—Espera un momento, guarda bien, que voy a estirar las piernas.

Mis pies no llegaban al suelo, me sentaba al borde y me estiraba.

La gente olía a frío, a noche destemplada, en el centro

de aquel sitio había un brasero con mucha ceniza.

—Acercárselo al señor cura.

Don Magín daba las gracias, unas mujeres acercaban el brasero, los hombres tiraban las colillas en él.

—¿Tienes frío?

—Las niñas no tienen frío nunca —decía don Magín—. Ay, los niños. Dichosa edad.

Yo apretaba las manos en los bolsillos de mi abrigo. Era un tiempo túnel, un tiempo largo, sonámbulo, gentes con caras que se veían cuando pasábamos túneles largos, mujeres que se precipitaban con cestas. Decían «el descendente», «el corto». Se renovaban los que entraban. Don Magín sacaba el termo.

—¿Ustedes gustan?

Me servía del café con leche en el vasotapón, y bebía él también.

—Se agradece algo caliente.

Las mujeres me miraban, y aquellos otros niños. El jefe se asomaba.

—Señor cura, ahí viene. Ha salido ya.

Calmaba con la mano:

—Sin correr, que tiene todavía para veinte minutos.

La boca dura y fría de la noche.

—A ver, no te separes, no vayas a perderte de tu tío.

Don Magín no era mi tío, pero de viaje lo decían siempre. Las escaleras del nuevo tren más pinas, más difíciles.

Una niña que no se duerme. Un viaje tan largo, y como una ardilla. Cabeceaba sobre el brazo del asiento. Una niña que no se duerme. El ruido igual, las paradas bruscas, voces sin cuerpo llegando desde fuera, desde lo oscuro, o de aquellas estaciones con luces fantasmales, amarillentas. Adiós. Cuídate. Adiós. Escribe. Adiós. Adiós. Que lo pierdes. Adiós.

La luz azuloscuro, débil, al principio todo oscuro, después el bulto sombrío de don Magín enfrente, con los pozos cegados de las gafas. La luz brusca de pronto. Picar los billetes. Don Magín buscaba en los bolsillos.

—Ya billete entero —decía— como una persona mayor.

Dolían los ojos. Apagaba la luz al salir. Los cuerpos se

revolvían, buscaban de nuevo la postura.

—¿No puedes correrte un poco, niña? Todo ese asiento para ti... Para que pueda apoyar los pies.

Aquellos zapatones sobre el muslo, sobre la nalga. La cabeza en el brazo de la butaca. ¿Cuánto tiempo hacía?

—Estos viajes eternos.

Alguien tosía, escupiendo en un pañuelo. Noche.

Cuando abría los ojos entraba claridad por todas partes, levantaba una esquina de la cortinilla, la claridad del campo verde, del maíz crecido, de las casas humildes de piedra con techos de pizarra. El río tan limpio, estirándose, dándose vueltas.

Muchos túneles. Carbón. Íbamos entre carretillas de carbón a un lado, hombres de carbón.

—¿Dónde estamos?

Don Magín dormía espatarrado, con la boca abierta, abiertos los botones altos de la sotana, se le veían por abajo pantalones de hombre. Juntaba las piernas de prisa.

—A ver.

Se ajustaba las gafas. Cerca. Cerca. Después de aquel paso entre carbón, y hombres sucios de carbón que miraban al tren, que nos decían algo, riéndose, con la cara tiznada, volvía el río manso, ancho, con las piedras blancas en sus costados, volvían las montañas en cadena. Había un aire manso y de grandeza.

—Cerca.

Estaba deseando llegar para ver si los hermanos no me habían quitado mis piedras, mis cristales, la escoba de ramaje que me había hecho Jenaro, para ver a la *Mora.* Para nada más, para nada más. (De verdad, para nada más.)

—¿Te has dormido, Tadea?

Suzanne suspiraba, se vestía.

XIII

Los niños al jardín.

—¿Con este día?

—¿Y la clase?

Empezamos a ordenar los cuadernos.

—De prisa, hale, dejad las cosas como están. Los impermeables.

—¿No vamos a la terraza?

—Que cada cual lleve su libro.

Nos pusimos los impermeables en el sótano, el de Suzanne era azul, ligero, con una capucha.

Una carrerita hasta la glorieta.

Corríamos con la cabeza baja por la insistente tupida lluvia.

—Empujad los muebles hacia dentro, no se mojen.

Muebles de mimbre negro, almohadones con caballos de mar, en la lana negra y roja, con el color corrido. Hicimos un grupo de butacas vacías en el centro.

—Jugad a algo, así no os quedaréis fríos.

Se podía jugar a casas, en la glorieta con sus cuatro paredes sin paredes, enroscándose lo verde a las columnas. Suzanne se extendió en el sofá de mimbre negro, se tapó con los almohadones hasta el cuello. Ana se sentó en el borde, junto a ella.

—¿Qué pasa?

Suzanne miraba a Ana y sonreía.

—Nada pasa —dijo—. Que es mejor que estemos aquí.

El amarybilis se descolgaba desde el canalón de cinc de la glorieta, un gallo de hierro negro en el centro de arriba, indicando el viento, N y S a cada lado, también hierro. El suelo de azulejos octaedros blancos, bordeados de negro. La lluvia caía como el amarybilis.

—Jugad a algo quietos.

Echamos almohadones sobre el suelo, Clota, Odón y yo, con las piernas cruzadas hacia dentro. Clota sacó del delantal las tabas, casi despintado el rojo de los huesos.

—Uno, dos, tres, cuatro, cinco...

Ponía de prisa la palma de la mano sobre el suelo, sin mirar, con los ojos fijos altos siguiendo el hueso, había que tener la palma vuelta para recibirle en el momento de volver. Con uno, con dos, con tres a la vez. Se escapaban.

—...cuatro, cinco...

Huesos de *Balazer* por lo alto, los sentía en mi palma. Fijos los ojos, no se escapen. Balazer *despavorido entre mis hermanos.*

—¿No veis que le estáis martirizando? Qué manera de querer. Con la falta que haría en más de una casa.

—Es nuestro. Don Pedro nos lo ha regalado.

—El maestro, el maestro... Podía habérselo guardado, que buena falta le hace a ése también. Como sigáis así...

—En la aldea teníamos un cordero.

Por la noche le llevó a la antecocina, puso leche tibia en una botella, la tapó con un dedil de goma, le habíamos cortado por detrás parte, perforó con un lado de la tijera el centro del dedil.

—Ven acá.

Lo agarró entre sus faldas, se le escurría, pateaba, esquivando la cabeza, pero Tina le aguantó fuerte.

—Tonto, que es cosa buena. Tenle por las orejas.

—¿A qué jugabais con el cordero?

—A nada. Era el cordero.

Dejó caer unas gotas de leche en el dorso de su mano y se la acercó. Parecía que el cordero iba a rumiársela.

—¿Se murió? Clota, haces trampa, la has recogido con el codo. Te crees que no miramos. Ahora yo.

Los morros con aquella tetina templada, suave.

—Ahora verás, Tadea.

Le acariciaba los morros y Balazer *empezó a buscarla. desesperado.*

—La quieres, eh, condenado, tanto rufar.

Los ojos vidriosos mientras tragaba.

—¿Llora?

—Se le ponen así de gusto.

Yo le acariciaba la lana de las ancas y él se volvía, haciendo un extraño.

—Estate quieta mientras come, también tú. Mira que destetar a este animal.

Dijo:

—Así eras tú de pequeñina.

El cordero tenía la boca rosada.

—Una tragona, chillabas siempre al terminar, querías más, perneabas.

A Odón las tabas se le espatarraban, se le iban entre las piernas.

—Vosotras, con las faldas...

—Con las manos, rico.

—¿No juegas más?

—...musarañas.

—Sigue lloviendo.

El césped empapándose, los macizos donde habría calas, la casa a través de la lluvia.

—Repasad las lecciones.

—¿No vamos al cuarto?

—A obedecer, Odón. Repasa tus lecciones.

Separamos un poco las butacas del centro sin almohadones, Odón se sentó pasando la pierna por encima del brazo de la butaca, bajo un globo plateado. Buscamos la página Clota y yo, esparrancadas, apoyadas las cabezas hacia el final del respaldo, con el libro en alto. Tapada por el libro, riéndose, Clota me enseñó las tabas. Odón buscó una lámina en su libro.

—Tienes treinta y tres vértebras —dijo.

—¿Y qué?

Sacó una taba del bolsillo del pantalón y la puso sobre el libro. Eran iguales. Me incorporé para mirar. Odón pasó su mano por mi espalda como si desgranase algo.

—¿Qué es?

—Cállate.

Tangente es la recta que toca a la circunferencia sólo en un punto.

Balazer *escapando, delante del conejero, asustado, con los ojos saliéndosele, la boca abierta balando, con los dientes amarillos, balando, sin recobrar aliento. Palos azuzándole.*

—No venís para cosa buena. Cuatro días que venís no discurrís cosa buena.

Le espantaban, le cerraban el paso. Balaba muy seguido, muy agudo.

—Tú, estate ahí, tú eres la gente.

Apretada contra la red del conejero, mordiéndome los dedos. Hacía mucho sol. Se quitaron las camisas, las agitaban. Escapaba rápido como si las patas de atrás fueran más cortas, pero estaban Roque y Elías que hostigaban con palos cuando huía, obligándole.

—Se está cagando de miedo.

—Oye tú, se está cagando.

Se reían. Cañas de las que había junto al río, Antonio con la cabeza gacha, arrimado a la red, cerniendo con las cañas, Balbino las sostenía. Antonio se adelantó.

Habían clavado medias hojas de afeitar en el remate de las cañas cortadas por el centro, desflecadas.

—Tenédmelo bien cerca.

El sol brilló acerado sobre las dos medias hojas de gillette. Antonio se empinó sobre las alpargatas, sobre sus piernas acribilladas a rasponazos y arañazos, metiendo el vientre, enarcó el pecho desnudo, tan moreno.

—Empujadle.

Tuvo que correr detrás del cordero para clavársela. Huía. Se topó con los cuerpos unidos de los otros. Tuvieron que aguantarle por las ancas. Me tapé los oídos para no oír el balido terrible, desgarrante. Me sudaban las manos. Parecía que nos íbamos a morir todos. Apreté la frente contra la red. Cuando abrí los ojos sentí la forma de los cuadrados de la red incrustada en la piel de mi frente, veía todo cuadriculado, a través del sol. A Balazer *le temblaba una telilla sobre los ojos. Sangraba por un costado y, en la tripa, la blanca lana rizosa encaracolada iba poniéndose roja sucia, se extendía. Clavado en el centro, salpicado de bolitas negras.*

—Vamos al río a bañarle, no lo vea Tina.

—Es nuestro.

—Me toca a mí matar.

—¿Por qué a ti?

No me podía marchar. Había que romper el círculo para salir, no podía separar las piernas. Me apretaba de espaldas a la red, que cedía un poco, mordiéndome los labios. Todos los conejos a la vez se agitaban, hacían ruido contra las maderas, chillaban.

Gabriel tan derecho, la camisa blanca arrugada sucia de tierra, ¿no acababan? con la vara afilada en punta, como la contera del bastón de papá, fina y profunda.

No miraba ya, miraba al sol tan tranquilo, salpicado de manchas rojas, extendiéndose las manchas. (No parecía Balazer *quien balaba, ronco y de una vez, interminable.) La vara manchada de sangre al final. Tanto sol sobre el río, tanto sol sobre las conejeras azules y blancas, las montañas escapándose de la tierra, estriado de sangre el río, el sol, la tierra apegotada.*

—Fuera de ahí. ¡Fuera!

Tina.

—¡Criminales, no sé a quién salís! ¡Bandidos! Y tú también, Elías, creí que eras mejor que los otros, tú, tanto quererle...

—Venga, Tina, no armes cuentos.

No se miraban. Metían las camisas por dentro del pantalón, apretándose los cinturones.

—Largo a vuestras casas, vosotros.

—Ni que...

—Se empieza por un cordero —empujó a Elías—. Tantos arrumacos que casi querías dormir con él.

Elías se alzó de hombros. Más tarde me esperó a la salida de la cocina.

—¿Sabes dónde ha metido Tina a Balazer, *te lo ha dicho?*

—No sé nada.

—No sabes nada, por más que busques, a su tiempo lo verás, criminal, no me vengas con fiestas.

—Es nuestro. Se lo digo a mi padre.

—Se lo dices al nuncio, ya estás diciéndoselo.

Cuando estaba en la cama, Tina cogió mi ropa sobre la silla al lado.

—Te measte los pantalones, pobre Balazer, *empapados. Sécate bien, mañana andarás escocida.*

Apreté las piernas, escondiendo la cara. Me besó muchas veces. Me apretó el embozo alrededor de la cara, dijo:

—Le mandé a Bastián rematarlo de una vez, animalito.

Le eché los brazos al cuello. Me estreché a ella, duro contra ella. Olía el pantalón mojado.

—No diré nada a tus hermanos, no te apures.

Cabezas agachadas sobre los platos. No miraban hacia la fuente.

—¿A éstos qué les pasa, nadie come? Está bien tierno.

—¿Porque era vuestro cordero? ¿Y la ternera, y las gallinas? No vengáis con melindres, unos chicos.

Tina les miraba con las manos cruzadas sobre el delantal blanco.

—¿Qué pasa, tenéis el estómago sucio?

—Tienen sucio lo que tienen sucio —dijo Tina.

—Hale, hale, comed. Unos chicos...

Pasaban despacio los bocados, los daban vueltas y vueltas en la boca, los tragaron con un buche de agua.

—¿Estudias, Tadea? ¿Veis qué bien, estudiar al aire libre?

El césped, ya no llovía, el magnolio, la casa más silenciosa desde que dejó de llover, más clara.

Suzanne sacó una lima de cartón grande y rosado del bolsillo del impermeable azul, se limó las uñas.

—¿Qué hacemos ahora?

—Cualquier cosa.

—¿Qué cualquier cosa?

—Clota, no molestes. Discurre.

—Es un aburrimiento.

—Los niños no se aburren.

Dora se acercaba a la glorieta. Suzanne salió a su encuentro, hablaron bajo. Dora venía sin impermeable, con su uniforme negro, más baja que Suzanne. Levantaba la cara para hablar.

(—Ese lunar que tienes —cantaba Francisca en la cocina mientras Dora ayudaba a secar platos.

—¿Te canta Mariano lo del lunar, abajo?

Dora apretaba los labios, parecía estirársele la piel del lunar en la barbilla. Tomasa abrió la puerta de vaivén.

—A lo mejor tiene más lunares, qué sabes tú, Francisca. Le canta muchas cosas —la voz ronca de Tomasa, la risa ronca—. Habrá que preguntárselo a Mariano.

—La verdad que no sé lo que te ve. No te fíes. Ése viene a pasar el rato.

—Qué sabes tú lo que la ve.

—Lo que tenéis es una envidia que os come —chilló Dora descompuesta—, andáis todas detrás de él. Si creéis que no se da cuenta.

—Podrida. ¿Quién se ha creído que es? Me sobran, para que te enteres. Niño bonito éste.

—Ándale con el cuento a doña Patrocinio, y adiós la carbonera.

Dora plantó el plato y el paño, escapó escaleras arriba.

—Cuando se le pasen los veinte años veremos.

A Tomasa le brillaban gotas de sudor sobre la boca, tenía patillas lacias y morenas sobre las mejillas. Francisca dijo:

—Ofenden al Señor. En esta casa...

—Díselo a la señora.

Tomasa parecía desearlo con fuerza.

—Díselo a la señora.

—No —dijo Francisca.

Tomasa preguntó, achicando los ojos:

—¿No quieres que se vaya, eh?

Francisca, empinando los hombros, la miró como si fuese más baja y delgada que ella. Dio media vuelta y se alejó por el pasillo hacia el comedor. Oímos a media voz:

—Como la tierra seca
suspira por el agua,
Tomasa se detuvo abobada, entumecida.
—...como la tierra seca
así suspiro yo.
Tomasa suspiró, sin mirarme, empujó la puerta de la cocina.)

—A entrar sin meter ruido, dejándolo todo recogido.

—Pero, ¿qué pasa? —volvió a preguntar Ana.

—Nada. Que a tu madre le duele un poco la cabeza.

Subimos muy despacio. Dora aguantaba la puerta de vaivén. Suzanne dijo:

—Voy yo delante.

Subio las escaleras delante de nosotros, y al llegar al descansillo del segundo se puso de espaldas, nos hizo pasar primero.

—Arriba, de prisa.

Nos acostaron sin bañarnos. Apagó la luz en cuanto estuvimos en cama y salió del cuarto, me senté en la cama.

—Clota, ¿qué pasará?

—Nada, ¿no lo has oído? Tengo sueño.

Me levanté a oscuras, atravesé el patio de cristales, dije:

—¡Ana!

a la puerta del cuarto de Patrocinio, al lado del de Julia.

—¿Qué?

Ana estaba despierta, descalza, en camisón.

—Mamá está teniendo el niño —dijo.

Nos sentamos descalzas sobre la cama, con las piernas colgantes. En silencio. Ana me apretaba la mano en la suya. Se me dormía el brazo.

—¿Quién te lo ha dicho?

Silencio.

—Si viene Patrocinio...

—No subirá. Estará allí —dijo.

Tiritábamos. Cerré los ojos en la oscuridad.

—No te duermas.

Las manos juntas, de nuestros cuerpos empezó a subir calor. Dijo:

—Odón sabe.

—¿Dónde está?

—Abajo, en su cuarto. Al lado del cuarto de mamá.

Me di cuenta de que me había amodorrado cuando Ana me sacudió.

—Aprisa, que viene Patrocinio. ¿No oyes? Pasos.

No oía nada. Tropecé contra la silla al salir.

Me estremecí al entrar en mi cama, fría. Me tapé hasta arriba.

—Baja a ver a mamá —dijo Suzanne a Clota por la mañana—. Tú, si quieres...

Oíamos a tía Concha por la puerta entreabierta. Una voz blanda, humedecida:

—Tanto sufrir para esto. Un día entero.

—Ya vendrá otro.

—Pero éste... Era niño.

Siguieron hablando mientras entrábamos en el cuarto. Tío Andrés se colocaba con calma los gemelos.

—No lo has conocido.

Tía Concha nos apartó para mirarle.

—¿Tú crees?

Fue como un grito.

Entraba Odón. Le cogió la mano, le miró tan fijamente. Acercó la mano del chico a sus labios, él se inclinó para besarla. Vi las manos crispadas sobre la espalda de Odón.

—Niñas, arriba.

Me volví, esperando a Odón.

Tío Andrés me miró.

—He dicho: arriba.

Subía música desde el saloncito. Se oyó más al cruzar el corredor.

—Despacio, de puntillas, que está oyendo música tío Juan.

—Qué lata —dijo Odón—, siempre con música seria.

XIV

Odón empezó a dar clase en los salesianos. Su silla vacía en nuestra mesa redonda.

—Aparta esa silla, poneros más anchas. ¿Ves? Así puedes extender los cuadernos.

Odón dejaba atrás la puerta de casa, iba solo por el Alta aquel trecho hasta los salesianos.

—Pegadito a la tapia —decía tía Concha—. No te entretengas, no mires a un lado y otro. Entras, y derecho a clase.

Le veíamos a la hora de comer.

—¿Qué te han dicho, hay muchos niños?

Odón no miraba a Ana, dejaba correr el agua templada entre sus manos. Se las frotaba con piedra pómez. Llegaba con el ojo tan desviado.

—¿Cuántos niños hay en tu clase?

—Cuarenta. —Hablaba dándole vueltas al jabón.

Le compraron una cartera para llevar los libros.

—¿Ves? Como un hombrecito. A los once años ya, las niñas...

Se marchaba cuando su padre decía:

—¿Vamos, Juan?

Ana se reía, nos decía bajito:

—Pasa la pena negra.

Tía Concha reposaba un momento la labor para mirarle, repeinado, oliendo a colonia, con la cartera en la mano. La besaba. Al pasar por delante de nosotras, sentadas sobre la alfombra, para acercarse a la abuela, Ana estiraba el pie para que tropezase.

—Dejad al niño, tiene que estudiar.

La puerta grande del jardín abierta de par en par, Venancio a un lado, desde allí Odón más pequeño al pasar por la puerta.

—¿No tienes a tus hijos?

La voz pausada, sin altos ni bajos, del tío Andrés, aquellos días en que tía Concha guardó cama.

—Vete a avisar a Ana que empezamos la clase.

Bajé las escaleras, crucé el pasillo del segundo, por delante de la biblioteca, de la puerta que llevaba al departamento de tío Juan, del cuarto de la abuela. Al cuarto de los tíos se llegaba por un vestidor. Estaban las dos puertas abiertas.

—¿Has pensado alguna vez que soy una mujer? ¿Me escuchas?

—...la madre de mis hijos. Estás nerviosa.

—¡No!

—Concha, una señora...

Tío Andrés estaba sin americana, con los tirantes sobre la camisa, sentado al lado de la ventana hojeando una revista, con un lápiz en la mano. Señalaba con el lápiz en la hoja, mientras hablaba. Tía Concha acalorada, arrugado el embozo bajo las manos, le salía la seda malva del camisón.

—¿Qué haces tú aquí? ¿Qué buscas?

Se incorporó, tenía el pelo suelto, desgreñada, unas ojeras profundas, una pupa en la esquina de la boca.

—Haz el favor de ir ahora mismo a clase. ¿Habráse visto?

Se miraron, en silencio. Retrocedí. Entré en la galería del cuarto de la abuela por el vestidor de tío Juan. Había, en la galería, una mesa de despacho con cuero verde en el sobre, y otra butaca giratoria detrás. Ana estaba en la butaca, apoyando la boca contra las manos juntas, muy rojas las orejas. Me hizo señas con la mano para que no hiciese ruido, que me callara. Llegaban las voces de sus padres a través de la puerta de comunicación con el cuarto de la abuela:

—...señora no se rebaja.
—Ni un minuto para mí, ni un minuto.
—¿Y tu madre? —qué calmo hablaba—. Los niños.
—No es eso, Andrés, lo sabes. No es... ¿Por qué te vas?
—Sabes que tengo una junta, me esperan.
—No me importaría vivir peor.
Los ojos agrandados de Ana, los labios entreabiertos.
—¿No eres tú quien ha querido vivir con tu madre? ¿No eres quien quiso meterse en esta casa?
—Un rato para mí, como al principio. Era la misma casa.
—Estás nerviosa. Anda, tranquila. Te has quedado débil, te hace daño.
—No —dijo tía Concha—, no te agarres a eso.
—Te has quedado débil, tú no eres así nunca, tienes que salir a tomar el sol en la terraza.
—¿Por qué no quieres entenderme? ¿Por qué?
—Te puede subir la leche a la cabeza.
Un silencio. Ana tenía la cara roja y pálida, la apoyó sobre su mano, se reclinó sobre el cuero verde.
—¿Qué te pasa?
Se irguió, rápida, me tiró del brazo. Apenas dijo:
—Cállate.
Le brillaban los ojos. Su mano abrasaba. Me sopló a la cara con el aliento caliente:
—Está toda vendada.
—...
—Tiene el pecho lleno de vendas.
Me miró, interrogante. Lleno de vendas.
Daba gusto salir al vestidor del tío, al pasillo.
—¿Tiene heridas?
—Boba.
Subíamos las escaleras claras. Alzó la voz:
—Vendas por encima, cruzadas, como una momia. Si te abraza lo sientes debajo del camisón. Me dijo: «La leche para tu hermanito, para Ángel.» Fíjate qué asco. Me hacía daño contra las vendas. Me dijo: «Nunca más.» No tengo gana de estudiar, ninguna gana. Lo vuestro es tan fácil. No tengo gana.

—¿Qué vas a hacer? Está esperándote.

—Me duele la cabeza —me dijo, mirándome muy fija. Se rió un poco—. Uf, esta cabeza. Me duele, de verdad.

Pasó las horas de la clase echada sobre el diván del fondo.

—Si te duele la cabeza, no leas.

Se volvió hacia la pared. Llevaba el traje a cuadros blancos y amarillos, igual que Clota.

—Tadea, atenta.

Me castigaron por escuchar detrás de la puerta. Me enteré al subir de los plátanos.

—Tú, aparte. Estás castigada.

Comí con Patrocinio, en la antecocina, el comedor de Julia cuando Julia estaba.

—No, tú no subes a la biblioteca.

Desde la ventana del comedor de Patrocinio se veía la puerta del vestíbulo principal, abriéndose, un banco de madera con azulejos blancos y azules. Tío Juan hablaba alto, subía las escaleras de dos en dos lo mismo que nosotras. Tío Andrés despacioso.

—Dime a mí lo que quieras. No hables con tus primas. No andéis con señas.

Se juntaron más Clota y Ana durante la clase.

—Tadea —dijo Suzanne—, coge la labor.

En los plátanos me senté con ella sobre el banco, hacía punto.

—No le preguntéis nada, Clota, no se habla con vuestra prima. Ana, no la tientes.

Clota sacó un ovillito y unas agujas pequeñas del bolsillo y se puso a calcetar frente a mí, apoyada sobre el boj.

—Mono de imitación, ¿no ves que está castigada?

—Vosotras, a correr.

Corrieron hacia el final de los plátanos, se reían altísimo, con aspavientos, volvían con las cintas del pelo sobre la frente.

El día en que hizo sur Suzanne me llevó al invernadero.

—Vosotras, a los plátanos.

Clota ladeó la cabeza sobre el hombro, Ana apretaba los labios.

Suzanne cerró la puerta del invernadero, empezó a canturrear, fue derecha al banco verde descascarillado, al fondo, estaba allí para repasarle de pintura verde. Había estantes verdes, estrechos, alineados, contra la pared desconchada llena de tiestos. Prímulas, petunias, cosmos, begonias. Algunos tenían hoja perenne, otros apuntaban un verde blanco todavía. El sol atravesaba los cristales del invernadero —el sur fuera empujaba a las ramas, a la hierba, se le notaba en el color al aire—, las hojas tempranas transparentes, casi rosadas, como el paladar de un niño, o verde de río, verde vivo. Iba de un tiesto a otro, removiendo con un palito, había unos caracoles diminutos con una cáscara endeble. (Venancio recogía caracoles grandes babosos de los árboles. Llenaba la carretilla. Al desprenderlos de los árboles soltaban espuma.

—Comen caracoles, fíjate.

—Dice mamá que es una sopa exquisita.

Tenían una cáscara dura, olía a viejo.

—Los ponen con salsa roja.)

Los caracoles de los tiestos eran como conchitas. Me senté sobre la carretilla vacía, me dejé al sol.

—Te va a doler la cabeza.

Sentada sobre el banco, muy reclinada atrás, con las piernas estiradas al sol, se había remangado las faldas.

Oí las voces cuando ya estaban en la puerta.

—Ah, perdonen. ¿Están aquí?

Suzanne se puso rápidamente en pie.

—Continúe —dijo tío Juan—, por favor. Vengo a mirar con Venancio esto de las grietas.

Suzanne se acercó a mirar también.

—Ponte a la sombra —me dijo.

Me llevé la mano al pelo, tan caliente. En el techo desconchado, con manchas de agua amarillenta, unas grietas serpenteaban finas, profundas.

—Por aquí se viene abajo la terraza —dijo Venancio.

Metió un alambre por la fisura.

—Llueve aquí dentro, no hay manera de conservar las flores.

Miraba al techo. La voz pastosa de tío Juan.

—Qué templado aquí, con este sol. Se está bien.

Se asomó a una de las cristaleras. Al volverse, vio sobre el banco el libro abierto en dos, con las tapas hacia arriba.

—«Le blé en herbe» —leyó en voz alta.

Miró a Suzanne, ella no bajó los ojos.

—¿Le gusta Colette?

—Me lo ha dejado una amiga.

Cogió el libro e hizo correr las hojas.

—Escribe bien —dijo—. Yo puedo dejarle alguno, si le interesa.

Tío Juan arrugó dos o tres veces los párpados. Se callaron. Suzanne se llevó como dormida la mano al escote cuadrado, metió la mano hacia el hombro, por debajo de la tela floreada transparente, como cuando dábamos clase.

—¿Ha leído los de la biblioteca? ¿Por qué no los coge? Hay algunos...

—Oh, la señorita Concha.

Se sonrieron al mismo tiempo. Tío Juan sonrió tras de parpadear dos o tres veces seguidas, arrugando los ojos.

—Yo le dejaré alguno.

Suzanne me miró, y él siguió su mirada. Dijo, llevándose la mano a los labios tan encarnados (tenía los labios y las orejas siempre encarnados, tío Juan).

—No se repiten las cosas, Tadea.

Puso la mano sobre mi pelo.

—¿Le gusta la música?

—...tantas veces, cuando subo, oigo la gramola. Se oye bien desde arriba, por la noche, después de cenar, sin ruido en la casa.

La mano ancha un poco húmeda de tío Juan sobre mi oreja, sobre mi cuello. Me latía desaforadamente el corazón. Lo iban a oír.

—...siempre castigada... escuchar en las puertas.

Se rieron de una manera contenida. ¿No importaba escuchar en las puertas?

—Eso no me gusta.

Me soltó.

—No es noble. Tu madre no lo hacía nunca.

No me salió la voz, quise decir: «No escuché intento.» ¿Escuché intento? ¿En la puerta, en la galería?

La luz anaranjada, las plantas verdeanaranjadas, las hojas profundas extendiéndose, fibrosas, membranosas, aguas dentro, las cristaleras abrasando. Un mundo bajo el mar, bajo el río. Un río de calor, vapor extraño, imágenes temblando, voces en etapas.

—...será una casa muy aburrida para una mujer joven como usted.

—Oh, no. Ya me he hecho.

La mano perezosa en el tirante.

—Me hago en todas partes.

Se rió, ahuecando el escote. Se le marcaban dos huesos bajo el cuello.

—Hago tiempo... Los domingos con Madeleine, está tan cerca. Vamos al cine, a la playa.

—¿Se bañan? ¿Sabe usted nadar?

Sacó la mano del escote. Una mano blanca como una concha del fondo de la mar, se anaranjó con la luz. Todo temblado.

—Se pasa bien.

La voz llena de aguas.

Me cogió sobre sus rodillas. Tío Juan había dejado la puerta entornada al salir. Me atrajo, me sentó sobre sus rodillas, me besó, mirando hacia la puerta entornada. Cantó, anhelando un poco, perdía el aliento:

—Oh, les fraises, les framboises, le bon vin que nous avons bu...

La voz cargada, oscura, submarina, de cuando se miraba en el espejo.

XV

En la planta baja, según se subían los escalones del vestíbulo principal, había otro vestíbulo más pequeño, con una gran estufa negra en el centro de herrajes dorados; a un lado, arrancaba la escalera grande alfombrada de rojo, con la bola azul de cristal, un mundo celeste con estrellitas, en el principio del pasamanos. Pasaba los labios por allí.

De este vestíbulo partían dos brazos —había el hueco de dos puertas sin puertas enlazando el vestíbulo y aquellos brazospasillos—, derecha e izquierda. El de la derecha remataba al norte en el comedor de Patrocinio y el *office* (tras el *office* la puerta de vaivén llevando al sótano; en el comedor de Patrocinio, antes de la puerta de la cocina, empezaba la escalera de servicio hacia los pisos altos, escalones fregados).

El pasillo se prolongaba al sur, con el suelo encerado, un banco de cuero color vino oscuro, largo, adosado a la pared, hasta el comedor grande. Tenía una puerta de cristal, de dos batientes, y a un lado de ella otra blanca de madera, la del baño que usábamos nosotros.

El comedor era la habitación más grande de la casa, altas puertas ventanas sobre el jardín y la puerta de la terraza: glorieta, magnolio, césped, caminos en declive hacia los plátanos.

Había dos puertas de cristales a un lado y otro del comedor: una, para la capilla; otra, a las salas. Podía llegarse a las salas también desde el vestíbulo pequeño, atravesando el otro brazopasillo, el otro arco sin puerta. Se entraba por la sala del centro, con la salita que daba al comedor y a la terraza, y de la otra parte la sala de música, pared por medio con el comedor de los niños. (Al terminar ese pasillo más corto, adosado contra la pared, un perchero con espejo, la puertecita del cuarto oscuro, donde se amontonaban trastos, botes de cera, cajas vacías.)

Desde la sala de música se podía hablar con el planchero por el tubo de la chimenea. Se movía la plancha de hierro hacia atrás y hablabas lo mismo que si estuvieras allí.

—Quieta —me hizo Francisca con la mano.

Estaba en cuclillas, inclinada, con la oreja pegada al fondo, sosteniendo la chapa levantada. Volvió a hacerme:

—Chist.

El piano de cola negro, charolado, alto jarro de cristal encima, atril de madera en la comba del piano.

—¿Se puede saber qué vienes a hacer aquí? —me dijo.

La chimenea de esquina, dorada, un reloj dorado con paisaje azul, candelabros con tres velas azules sobre la repisa.

Francisca de perfil apretaba los labios, a punto de levantarse, pero no se separó de allí. Subían voces. Confusas voces. La chimenea por donde subían voces. Francisca me rechazó con la mano.

Había una estantería baja llena de álbumes de discos, al lado de la chimenea, frente a la gramola, bajo la otra ventana que daba al macizo de pensamientos, de clavelinas, al bosque, al colegio de los salesianos por encima del muro. El estuche de madera clara y brillante del violín, con curvas, con cintura y vientre abombado por arriba. No había sombra de guitarra.

—Tu madre la tocaba —había dicho Julia.

—¿Tocaba la guitarra mi mamá?

—Guitarra iba a tocar —contestó Tina—. «Mi mamá», como si fueras tonta.

Puso la voz aflautada. Íbamos descorriendo cortinones, abriendo ventanas en las salas, las del centro se pasaban días cerradas, también allí había un piano negro. Entró el sol, se vio el polvo encima.

—¿Mamá tocaba la guitarra?

—Ven acá, no escribas, rayas la madera. ¿Qué guitarra? No tocaba nada.

Levantó la tapa. Un fieltro rojo, denteado, cubriendo las teclas.

—Alguna vez levantaba las tapas del piano y tocaba, así parecía que probaba, como gotas de agua, cuando gotea; o de arriba abajo con muchísima velocidad, aunque tenía las manos gruesas. El párroco de entonces, que era el finado don Benito, la oía, subiendo la escalera grande, con esta puerta abierta. Decía: «Está haciendo escalas.» Lo cerraba en seguida.

—¿Y la guitarra?

—¿Qué guitarra ni qué niño muerto? No le oí guitarra ninguna.

Dijo:

—Le bastaba con vosotros.

—Si te parece que le quedaba tiempo para guitarras. Ocho años casada, a hijo por año. El uno se le desbarató, los primeros gemelos no pudo conservarlos, antes de tiempo, y el otro se lo llevó con ella.

Abrió las ventanas de la sala lila.

Quedó mal después de lo tuyo, tanto médico. Tenía mareos por los pasillos, pero como siempre andaba mareada, a vueltas. Daba gusto.

Se volvió y dijo:

—Llenaba la casa. Verla siempre con sus batas flojas andando por estos pasillos, era una bendición. Hasta la casa se alegraba.

Hablaba andando, huesuda y alta, con su bata negra, ruido de llaves en el delantal.

—...aunque no era así de entrar en la cocina o de hablar con nosotras más que lo justo estaba en todo. No había señora como ella. Saludaba a todos, en el pueblo, pero no daba confianzas. Con tu padre era otra cosa, como si fuese una niña, le reía todas las gracias aunque no andaban de ganchete, era muy mirada para esas cosas. Amable,

que fue también su doncella, dice que al ir a entrar por la mañana la oía decir: «Cuidado, que viene Amable», o «Cuidado, que están las muchachas». La encontraba muy puesta en la cama sofocada, haciendo que miraba para otro lado, recogiéndose el pelo con una mano. Le decía: «Gracias, Amable.» Era así. A tu padre le traía sin cuidado, tu padre vivía entre nosotros como en campo abierto, estaba entre los suyos. Cada uno a su manera.

Me cogí de su mano.

—Quería mucho a Gabriel, era el mayor. Bueno, quería a todos, no hacía diferencias, pero Gabriel fue el primero y era un niño que llamaba la atención. Contigo también se extasiaba, su única niña, apenas le dio tiempo a quererte, antes del año se nos fue. Cuando yo le llevaba a los niños a su cuarto, replanchados, de limpio tan guapísimo, tu madre brillaba. Y yo también con ella, daba gusto verles a los cuatro, a los hijos y a ella.

Dijo:

—Se confiaba en mí. Aunque no lo dijera con palabras, cuando se iba a la Montaña con la madre de ella, que iba como el polluelo junto a la gallina, para teneros allá (en el pueblo se lo tomaban a mal, decían: «Ni que aquí no supiéramos») dejaba aquí a los hijos. Bueno, llevaba uno con ella para que los viese la abuela. Primero llevó a Gabriel, cuando los gemelos que no se lograron. Después, cuando vinieron Antonio y Elías marchó sola, pero llevó a Antonio, que era el más trasto, con ella cuando tú. Decía: *«Me quedo tranquila porque quedan con Leontina.» Entonces parecía siempre de primeras, aunque nunca la viera miedo, o aprensiones, que otras tienen. «Puede quedar, señora.» Ella sabía que podía quedar.*

—Leontina dice...

—...el rasgueo en la sala de música. Yo entraba cuando no era la clase —se reía—, me gustaba oírla, procuraba no meter ruido. La cogía así, apoyada sobre las piernas... Se reía, daba con la palma abierta sobre la guitarra, para acompañarse. Cuánta alegría, tu madre. Qué decidida. Era la única que se atrevía con tu abuelo, tú no le conociste, era muy serio, daba muchísimo respeto, tu madre le besaba en la calva, canturreaba. A tu abuela se le caía la baba, no se atrevía ni ella. La acompañaba al piano.

—¿La abuela?

—¿Qué te has creído? La abuela. Tocaba habaneras cuando el abuelo no estaba, no porque fuese nada malo, no lo hubiera hecho, pero a tu abuelo le habían educado en Alemania, no perdía el tiempo, le gustaba mucha disciplina, las cosas en su punto. Todo aquello le parecía cosas de mujeres, sin importancia. También fueron tu madre y tu tía Concha a un colegio a Alemania. Tu madre era muy dócil, nunca disgustaba a su madre.

Se estiró la falda sobre las rodillas. Se pasó el índice doblado por las labios.

—Juan, desde pequeño, tuvo buen oído. Decía: «No rasques», y tu madre rasgueaba, intento, por hacerle rabiar, en broma, por supuesto. Tu tío Juan era un chico muy rubio, ya ves, le decía: «Raquel, no vale la pena de que te mates. No pasarás de hacer música de salón.»

Se quedó con las dos manos sobre las rodillas, a través de la bata negra. Me miró, sonriendo, de rodillas delante de ella, apoyada sobre mis talones.

—No te toques los zapatos. Tu tío Juan la quería mucho. Era la hermana que más quería. Bueno, Tadea, no se dice, no lo repitas.

En la biblioteca, sentada sobre la alfombra morada de volutas amarillas, miré de reojo al tío. Se había quitado las gafas, vuelta la cara hacia la pared, tendido sobre el diván en medio círculo. El pelo planchado, muy moreno, se le abría en el centro de atrás. Tenía siempre las orejas encarnadas. Había sido niño.

—Tapad a vuestro tío.

Corrimos para cubrirle con la manta. Le tapé los zapatos, apreté un instante, entreabrió los ojos. Dijo:

—Pero estate quieta.

—¡Tadea! —de tía Concha.

Volvió a ocultar la cara hacia la pared.

El comedor grande tenía una puerta sobre la terraza. Se cerraba del todo con un ganchito dorado y una cadenilla de seguridad.

—¿Le habéis puesto el gancho?

Cuando llovía y no había muebles en la terraza jugábamos allí.

Los cristales de la puerta que daba a la capilla eran rombos azulnegro y rojonegro, emplomados; a las horas de sol, abierta la ventana dentro, eran como vino en la copa en alto, y azul profundo. Los domingos abrían aquellas puertas de par en par —Odón se asomaba a la escalera dorada con mango de madera—. Los tíos oían la misa desde el comedor, también el servicio, aunque Patrocinio entraba dentro del oratorio, y Suzanne también. Suzanne se arrodillaba en un reclinatorio, a lo último de todo, pegado contra la pared, se apoyaba la cabeza en la mano. Delante, a un lado, el reclinatorio de Ana, de tía Concha, de la abuela, así, por orden; al otro, el de Patrocinio, el de Clota, el mío. Detrás, Suzanne.

—No vuelvas la cabeza.

Era un espacio muy pequeño, con un altar vestido con faldas blancas y tres cuadros abiertos igual que el espejo de tres cuerpos del tocador. En el del centro Jesús, con una sábana enrollada a las caderas con un cordel, el pecho blanquísimo, la corona de espinas. Unas gotas de sangre sobre la frente limpia, tirante. Tenía las manos atadas con un cordel más gordo. En la sombra, dos hombres con mantos rojos —uno de ellos blanca la barba, cubierta la cabeza, el otro moreno, rizoso—, secreteando. Le miraban. Detrás de Él, en el fondo tenebroso, blanqueaba una columna cortada, muy redonda, muy lisa, pero era más blanco, más redondo, más liso el cuerpo de Jesús.

En el cuadro de la derecha, estrecho, estaba su Madre con tocas y hábitos marrónoscuro, con un vivo blanco en la toca como el pechero de la abuela, las manos unidas sobre el pecho, mirándole a Él, con tantas lágrimas por la cara. Del otro lado, dos mujeres, una con carnes, pelos rubios muy sueltos, derrumbada, levantando un poco la cabeza.

—María Magdalena, María Salomé...

San Juan, con un manto rojo ladeado, también con el pelo suelto, ondulado sobre los hombros.

Don Luciano se revestía dentro del oratorio, delante de la cómoda. Decía palabras a medias, mientras se revestía.

—*Quam dilecta... Cor meum et caro mea...*

—Lee en el libro.

Odón acompañaba a misa. Con los brazos cruzados, encogidos los hombros, se balanceaba, inclinado, de un lado a otro, en el Confiteor. Nos miraba de reojo cuando cruzaba con el misal.

—*Tina no encuentro el velo.*

—*Pues anda sin él, una chiquilla.*

—*No se puede.*

La sábana enrollada, blancura deslumbrante. Los ojos prendidos a los pliegues.

—*Nos se puede, no se puede... —decía Tina entredientes. Me dejaba la suya.*

—*Todas las pierdes.*

Se anudaba el pañuelo negro, me cogía de la mano.

La capilla estaba también dentro de casa, pero era iglesia, con bancos y sacristía, la puerta abría al jardín, entraba el olor de la tierra, a celinda en primavera, tenía campana de campanario, podían venir del pueblo. Arrancando del altar el retablo de madera oscura, madera casi negra, columnas retorcidas con uvas y hojas, en la hornacina del centro una Virgen dorada con las manos juntas también, muy arriba del pecho, un aire de subir, una alegría. Tenía una sonrisa aguantada. Por debajo de las manos se le abultaba el vientre. Descalza, sobre una media luna dorada. Había Santa Bárbara bendita, estatuas de madera —ayudé a limpiarlas, en la sacristía les daban con aceite y vinagre, yo escupía para frotar— con un castillo de madera en un brazo y una palma en la otra, y un Santiago caminante, y un San Roque, que Tina le colgaba del cayado un racimo de veras cuando la vendimia, con un perro al lado, remangándose la capa y enseñándonos una rodilla. Olía a piedra cerrada, a humedad.

Arriba, encima de la puerta del jardín, una tribuna, igual que un balconcillo, con reclinatorios, se llegaba por el despacho. Eustaquio o mis hermanos esperaban junto a la campana pequeña, al lado de la sacristía, con la mano en la cadena colgante. No se oía la puerta de arriba, del despacho, pero muy bien los pasos retumbando en la tribuna: me volvía, de espaldas al altar, para ver entrar a mi padre. Se arrodillaba en el reclinatorio, uno de los chicos con él. Un golpe de campana y el cura salía. Ayudaban los otros hermanos, lo hacían por turno, o estaban dos con papá y al otro le acompañaba Roque.

Los pliegues marrones de la túnica de la Virgen, profundos surcos.

—A Belén han venido pastores...

Clarita, tocando el expresivo, a la puerta de la sacristía. Cantaban niñas y niños del pueblo en grupo en torno a ella. Cantaba Elías con su voz tan fina. Encendidas todas las velas, la araña grande del centro, ese día papá abajo, en un reclinatorio a la izquierda. Tina había dicho:

—Tú hoy con tu padre

había puesto otro a su lado para mí. El cruce de la paja se me clavaba en las rodillas, me las marcaba.

Tocaban conchas, y unos triángulos de metal dorado.

Yo miraba a la Virgen sonriente rodeada de camelias. Todo el altar salpicado de camelias.

La gente ocupaba la capilla hasta por los lados, de pie. Entornada la puerta de fuera.

—...han venido pastores.

(O refreixo do branco luar.)

La misma música que Tina me cantaba tantas veces. Miraba a los niños y niñas, abriendo y cerrando las bocas, miraba a Roque, tan planchado, en primera fila, goteándole el agua sobre el mechón de la frente, sobre todo a Elías, parecía distinto, con su fina, delgada voz. Salía de su boca rosada —le faltaban dos dientes de abajo—

—Quén pudera con vosco voar.

Se me espeluznaba la piel. La Virgen, con el rostro resplandeciente, cuánto calor dentro, cuánta luz.

(...quén pudera con vosco voar.)

Miraba ya también a María sobre su medialuna dorada, sus manos unidas, la sonrisa a solas, el manto abombado.

(...d'un amor celestial, verdadeiro)

Sonaban las conchas, los triángulos. Verdadeiro...

—Siéntate —Tina se salía de su banco y me tiraba del traje— puedes sentarte ya.

En el momento de la elevación, Gabriel balanceaba el incensario. Al sonido de la campanilla se arrodillaba, cogía la cadena acortándola, la sacudía sobre el pecho tres veces con la hostia, tres veces con el vino. El pelo moreno ensortijado entre el humo blanco. Le salía como si el pelo fumase. Al último repique se ponía de pie, y entonces, con impulso, lo balanceaba a derecha e izquierda: volaba la pequeña lumbre, se escapaban chispas, subía el humo blanquecino, ceniciento, se extendía. Olía suave, a marchito.

La campanilla, las velas, el canto. Se acababa en seguida. Gente en los bancos, gente de pie, a los costados de la capilla, con los trajes nuevos. Los conocía. Qué bien cantaba Roque, con «voz de tiple», decía Clara. A Roque no le hacía ninguna gracia. Imitaba a los pájaros. Con la garganta los imitaba, todos los trinos, apretando el labio de abajo contra los dientes, la lengua hueca. Le temblaban las venas en el cuello.

—No te distraigas. Lee en el libro.

«Séaos agradable, Trinidad Santa, el homenaje de mi servidumbre.»

—No mires a los lados. Derecha, al altar.

El furúnculo de don Luciano, los granos en el cogote, la coronilla tan redonda, a compás, en el duro pelo negro.

—No bosteces. Pon la mano delante de la boca —cuchicheaba Patrocinio.

Tía Concha volviéndose a mí, rápida, moviendo la cabeza.

El bostezo me cogía sin avisar. Me tapaba la cara entre las manos. Salía la primera, con Suzanne. Los primos se quedaban dando gracias.

XVI

—Que bajes al cuarto de tu tía —entró a decir Francisca cuando estábamos estudiando.

Miré a Suzanne.

—Baja.

—¿Sabes para qué es? —preguntó a Francisca cuando íbamos por las escaleras.

Francisca se alzó de hombros.

—Algo habrás hecho.

Cruzar el corredor, pasar por delante de la puerta del cuarto de la abuela.

—Llama —dijo Francisca.

Ella se volvió.

Tía Concha estaba con un batón morado de lana, ante la puerta abierta de su armario. Se volvió al oírme, cerró el armario y retiró las llaves. Puso el llavero sobre la mesita pequeña, delante de la ventana. Se sentó. Cruzó bien la bata sobre las piernas. Zapatillas azules. A través de la ventana se veía el abeto negro, la *Diana* suelta. La *Diana* suelta.

—Supongo que ya sabes para qué te he llamado.

La *Diana* suelta. ¿Qué habíamos hecho ayer? De prisa, acordarse.

—No pongas esa cara de estúpida, eres una hipócrita. ¿Te crees que puedes engañarme? ¿Te crees que yo soy la abuela? No me mires a la cara de ese modo. Baja los ojos. Es una falta de respeto. Saca las manos de los bolsillos.

Las manos a los lados mientras se te habla. ¿Qué es eso? No mires por la ventana.

Miré a las llaves. El grupo de las llaves sobre la mesita, aceradas, duras.

—Me vas a decir todo lo que sabes de Dora.

—...

—No pongas esa cara, que sé que estás enterada de todo. De Dora, y de Mariano.

—¿De Mariano?

—No te hagas la inocente.

Cogió las llaves en la mano.

—Sé perfectamente que te escapabas al planchero, que andabas espiándoles, que escuchabas por la chimenea en la sala de música. Francisca te encontró... Vas a decirme todo lo que sabes, y, además, todo lo que les has repetido a tus primos. Tengo que saberlo.

—Si Ana...

—¿Qué? ¿Qué vas a decir? Ahora resultará que fue Ana quien te lo dijo a ti, ¿verdad? Encima, Ana no quería que te dijera nada, no quería que te riñese. ¿Sabes lo que es una calumnia? ¿Lo sabes? ¿Sabes cómo se perdona? Contesta, ¿sabes el catecismo?

—Devolver la honra y fama que se ha quitado.

—Ahora vuelve a decirme que fue Ana.

—No lo he dicho.

—¿Qué dices? Habla más alto. ¿No te sale la voz? No te sale la voz para lo que te conviene, para lo que quieres bien tienes voz.

—...no se delata.

—Yo no he sido, papá.

—A ti, por haberlo dicho.

No se acusa. La mano veloz sonora de mi padre. Abría la puerta, soltaba una bofetada al que cogía más cerca. No preguntaba. Nadie decía:

—Ha sido ése.

Te caía, y en paz. Como un granizo rápido. Entrar en reacción. El olor de su mano era tan bueno, a cuero, a tabaco, a padre. No importaba.

Si el que había sido callaba, le escupían los demás.

—*Cobarde.*

Pero no callaban, sólo que mi padre no daba tiempo a hablar. Era como si se lo hiciésemos todos en quien lo hacía, todos uno, aquél. La voz de Antonio:

—*No ha sido la niña.*

—*Tú te callas. No le viene mal.*

Llegaba como un granizo rápido, se olvidaba lo mismo. Sólo Tina protestaba:

—*Pagan justos por pecadores.*

—Tú dijiste que Ana... ¿o es que te crees que soy tonta?

—Ana no me ha dicho nada.

Tía Concha respiró, ancha, volvió a respaldarse.

—No mires por la ventana. Reconoce que fuiste tú quien les contaste a los primos...

Sacudí la cabeza.

—No.

—¿Cómo?

Vértigo vacío dentro.

—¿Ahora me vienes con ésas?

Mentir es de cobardes. Mentir es de cobardes. El octavo, no mentir. El que falsea...

—¿Me has oído?

Se enderezó de nuevo. Me apuntó con el llavero:

—Repíteme pe a pa lo que has dicho a tus primos, y todo lo que sepas de Dora y de Mariano.

Hice un esfuerzo para saber qué deseaba.

—¿Sabes que es una falta de respeto no contestar cuando te hablan? ¿Sabes que...?

El ruidito de las llaves.

—¿A quién pretendes defender? ¿A Dora? Tú no tienes que ocuparte de las muchachas, tú no tienes que defender a nadie. Además, lo sabemos todo.

Las llaves en la mano, metidas en un aro de hierro, el batón. Volvió a cruzarlo, las llaves descansaron con su mano sobre el vientre. Confuso y morado.

—Dora se va esta misma tarde a su pueblo, ni un día más, un escándalo semejante. Ha confesado todo, así que puedes dejar de apretar los labios. Ridícula. ¡Contra los tuyos! Pero quiero saber qué les has dicho a tus primos, tengo que saberlo, soy su madre. ¿No quieres responder?

Se cruzó más el batón.

—Pues te lo voy a decir: has contado que estaban en la carbonera, has contado que se veían en el pozo. Me da vergüenza repetirlo a mí, una persona mayor.

Bajó la voz:

—...que todas andaban detrás de él, que Dora y él...

Se golpeó con el dedo en los labios dos o tres veces. Dijo bajísimo:

—...se besaban.

Hubo un silencio. El lunar de Dora en la barbilla, tirante al reírse.

Tía Concha respiraba con agitación. Volvió a hablar en alto:

—Qué vergüenza tener que hablar de esto, a los ocho años. Qué vergüenza.

Apoyó la cara en la mano, el codo en el brazo de la butaca.

—Has cantado una canción que una niña no canta.

Bajé la cabeza. El sonido de la canción.

—Ah, lo reconoces. Menos mal que bajas la cabeza, menos mal que sientes vergüenza. Me vas a repetir esa canción. Para que diga la abuela que...

(De la canción me acordaba. El griterío en el sótano. Tomasa me la había enseñado en su cuarto.

—De noche no puede ser
que me rinde el amor

Me cogió sobre sus rodillas, le salía carne por todas partes, me sofocaba.

—...que me riñe mi madre.
De noche

Cantaba bajo, con aquellos ojos que se le habían hecho pequeñines, tan brillantes, el aliento a vino:

—...que me rinde el amor

entrecerraba los ojos, le sudaban las carnes.

—¿A que no se lo cantas? ¿A que no eres capaz?

Dije:

—Sí.

—Olé las niñas valientes, es para una broma, a Dora le va a gustar. Eres la única valiente, ese Odón es un mariquita.

Me aparté de ella.

—¿Le quieres, eh, le quieres? ¿Te gusta el Odón? A lo mejor sois un poco novios. Ven acá, no te escapes. A lo mejor te enseña algo.

Me apretó más contra ella.

—...aunque me parece que ése, como no le enseñes tú.

Tenía la respiración fatigosa.

—¿Te acordarás de la letra? ¿A qué no te acuerdas?

—De noche no puede ser

Se rió, muy bajo. Tenía abiertos los botones de arriba de su bata.

—Que me rinde el amor

cantó casi sobre mi mejilla. Me mojó de saliva. Tenía los ojos tristes.

—No te limpies. ¿Te da asco de Tomasa?

Me abrazó enormemente contra ella, perdía la respiración entre sus pechos.

—Yo te diré cuándo tienes que decirlo. ¿Sabes al anochecer, antes de la cena, después que abre vuestras camas? Mientras estáis bañándoos con mamuasel.

—Tengo que bañarme.

—Tonta, haces que se te olvidaron las esponjas, no eres poco lista tú, discurres cualquier cosa. Dejas que entren los primos, te da tiempo. Te llegas al ofis, empujas la puerta de vaivén y bajas. Basta con que cantes eso en el sótano, si es contra la puerta de la carbonera, mejor. Pero tú no te atreverás, tú eres una cagueta. ¿Sabes? —dijo, acercándome los labios—, tengo el pañuelo del día que fuiste al estercolero con Odón. No me mires así, me acuerdo muy bien de ese día, se lo puedo decir a su madre. ¡Eh, que haces daño!

Apoyaba fuerte mis manos en sus pechos para separarme de ella, para ponerme de pie. ¿Cuándo había ido con Odón, yo? Con Odón, Clota y Ana; aquel día, sola, me acordaba muy bien. Sentí cansancio, como si estuviese rendida. Inutil. Nadie me creería. Nadie.

El griterío en el sótano. Yo sola, en el centro del patio, con el techo tan bajo, sintiendo el techo, aunque estaba a oscuras, Tomasa no había dicho que estaría a oscuras. Las puertas del fondo, que daban al jardín, cerradas. Todo cerrado, todo cuarto oscuro. (He dado mi palabra de honor.) Cerré los ojos para no ver lo oscuro, apretados los puños dentro del bolsillo del delantal. Cantar sola allí, en la noche, rodeada de sombras, o de algo. Acabar pronto.

—De noche no puede ser

Apenas salía la voz, destemplada en la garganta:

—...que me rinde el amor

Alguien moviéndose, abrí los ojos sin darme cuenta, en lo oscuro, los había apretado tanto que todo se llenó de estrellitas, de puntitos de luz. Una mano me agarró por el brazo, la voz de Tomasa terrible en mi oído:

—Más alto. ¡Más alto!

Me dio un empujón hacia la carbonera.

—...que me riñe mi madre.
De noche...

Iba a oír toda la casa. El sudor frío pegado a las manos, al pelo. La voz hinchándose, tan extensa, ¿era mi voz?, temblando en el espacio oscuro.

—...que me riñe el alcalde

Una algarabía infernal, ruido de tapas de potas, de cacerolas, las luces del planchero de pronto abiertas, las luces del patio. Francisca, Obdulia, Tomasa dando tapa con tapa.

Tomasa dijo:

—¿Qué hace esa cría ahí? Tú, arriba.

Tocaban delante de la carbonera. Cantaban, Daban golpes a la puerta.

—Dora, que te llama la señora. ¡Sal como estás!

Se reían, explosivas, estallaban.

Qué bueno el baño. Qué bueno Suzanne delante del espejo ovalado, y sentándose sobre el banquillo blanco, frente a la bañera, las contras blancas cerradas con la barra de hierro atravesándolas.

—Frótate bien. Levántate. No te quedes así echada en el agua caliente.

La cabeza contra la bañera curvada.

—¿Qué haces todavía echada? Tu tía Concha lo tiene prohibido, lo sabes. Levántate de prisa. Ale, a secarse.)

De noche no puede ser

—Repite la letra

—...que me rinde el amor.

Tía Concha se tapó los ojos con la mano. Después me miró, de aquella manera que rechazaba.

—Es una ordinariez, una canción semejante. No te extrañará que te prohíba conversaciones en privado con tus primos. No te extrañará que te diga que aun sin esperar a tu padre tienes que confesarte, aunque comulgues más tarde.

Me miraba.

—No sabrás lo que vas a recibir, pero el mal lo sabes.

La *Diana* estaba suelta. Se había sentado al pie del abeto.

—Puedes retirarte.

Cuando fuimos a los plátanos la *Diana* ya no andaba por allí. Estaría atada.

—Nada de conversaciones, a jugar.

Suzanne aquel día no se sentó, estaba entre nosotras.

Cuando entramos, a la puerta del sótano un baúl con tiras de hojalata. Encontré los ojos de Ana. Volvimos la cabeza. Dora bajaba por la escalera de servicio. No parecía la misma. Iba vestida de calle, parecía una pobre, llevaba el pelo suelto.

Odón sopló:

—La han revisado el baúl.

—A callar —de Suzanne.

Tía Concha en el descansillo, con los brazos ocultos en la echarpe.

—Sin comentarios, Odón. Aquí no ha sucedido nada. Y después:

—Hay que tener caridad.

XVII

La cama plegable tenía siete barrotes de madera a los pies, siete a la cabecera. Los pies de la cama eran más bajos; en la cama de Clota, al otro lado del lavabo y de la puerta, no se sabía qué eran pies y qué era cabecera; desde la mía, hundida, veía el alto muro de madera combada, ocultándome a Clota; del lado que no se adosaba a la pared se volvía, curvo, el largo cuello de madera de un cisne con un ojo de cristal negro. La mesilla la separaba de la ancha cama enorme de Suzanne, muy alta de colchones, enseñando poca cabecera. En el centro del cuarto, bajo una lámpara de flecos de cristal que con las ventanas abiertas el viento entrechocaba, la mesa del estudio, con las sillas en torno. La mía de espaldas a la ventana frente a la puerta, al espejo sobre el lavabo, a la cama plegable.

—Yo ya le he dicho a la señora que encima que te carguen a ti todo el trabajo de Dora...

—Total, tres cuartos más.

Obdulia daba la vuelta al colchón.

—Las chiquillas dan mucho que hacer, ya verás.

—Como viene Eugenia para lavar la ropa...

—...y que la mamuasel se muda de culotes todos los días, tú me dirás qué falta le hace, anda siempre dando ropa para planchar.

Francisca hablaba a media voz, apoyada en los pies de la cama. En el espejo se le veía el moño de ensaimada, la piel muy blanca del cuello, bata morada, cruzados atrás los tirantes blancos del delantal.

—Podía hacerlo ella, ni que fuera alguien, la mamuasel. Habrá que ver cómo viven allá. Total, al servicio, lo mismo que nosotras.

—Bueno, hija.

—Bueno, demasiado buena. Es lo que yo digo, Obdulia, no tienes por qué cargar con el trabajo de aquella soleta.

Siempre juntas, Francisca y Obdulia.

—Si te crees que yo me podía callar. Mi obligación con la señora.

—Pero a la señora...

—Se lo dije a la señorita Concha, es lo mismo. La señora, con la tensión, no se le puede ir con estas cosas. Con lo que es ella.

Metieron la funda a mi almohada entre las dos como si vistieran a un niño. Obdulia la aguantaba con la barbilla.

—Tomasa anda diciendo que era por celos, que andabas salida por él.

—¿Yo? ¿Yo?

Soltó la almohada. Se llevó la mano al pecho. De perfil creí que iba a llorar.

—Si yo hablara. Di que yo no he querido, yo no soy Tomasa. Si yo llego a darle pie. Si yo...

—Se besaron cuando Mariano se marchó. En el lavadero.

—Que se guarde la lengua, ésa, no sea que... Que se meta en su camisa.

Obdulia rió.

—La que la tenga.

—Hacéis mal, ya ves. Yo ya ves que doy la cara por ti, hija, pero ofendéis a Nuestro Señor andando como andáis.

Tenía el perfil enrojecido.

—Cómo quieres que andemos, no me mates.

—Hacéis muy mal, en cueros por debajo, te digo que es pecado.

—¿Y quién nos va a mirar, mujer? Anda una como puede. Cómo se va una a meter en esos gastos.

—La una a la otra, al acostaros.

—Estamos para eso, nosotras, ni nos vemos. Tomasa

se mete en la cama con bata y todo.

—Una marrana, así se destroza la ropa, nunca piensa en los señores. Como ella no tiene que pagarlo.

—Tú porque heredas la ropa de la señora, hija. Así cualquiera.

Francisca se descruzó los tirantes del delantal, metió la mano entre los botones de delante de su bata.

—Voy siempre completa por dentro.

Obdulia tocó el pedazo de tela que asomaba.

—Hay que ver qué finísima, qué lástima.

—Lo ve Nuestro Señor.

—Pues la francesa tampoco lleva.

—Vaya ejemplo, la francesa, pues mira que me pones a una.

«Si poseo los 7/15 de las acciones de una fábrica que produce 372.000 ptas. de renta anual...»

Me aplicaba sobre la página con cuidado, lentamente. Las voces a través de la musiquilla de la lámpara, las dos moscas persiguiéndose en el espejo. «¿Cuál es la ganancia que me corresponde? Veinte veces la solución.»

—...ella le llamó, menudo vaina, la besó, agarrándola así con todos los ojos blancos. «¿Quieres que vaya donde la señora y le diga que son cuentos?» Me vieron, yo entraba con la ropa de las chiquillas. Mariano va y dice: «No me hace falta, mujer, como yo quisiera, con el señorito...»

«Si poseo los 7/15 de las acciones de una fábrica...»

«¿Te vas con ella, eh?», se atragantaba la Tomasa.

—Después de andarla sobando, menuda marrana.

—Ni lo negó, el chulo de él. La tenía todavía por la cintura, y fue la apretó contra él, ella se deshacía, él sonriéndose encima, el tío lechuga. «Dime que te vas con Dora.» «Porque se han metido en mis cosas. Yo no soy un criado, soy el mecánico.»

—Menuda diferencia, hace lo que le mandan, mira tú ése.

—Tomasa ni me veía, tan ciega estaba, colgada de él, ni que no hubiera más hombres en el mundo. Él la volvió a besar en todos los morros, vaya cara, me miraba a mí mientras la besaba, con esos ojos que tiene, esa caída de ojos, me pareció como si... como si...

Las miré, tan rojas, tan encendidas. De prisa, bajé los ojos a la plana.

—...la otra con los ojos cerrados como si fuera a darle un patatús.

—Cállate.

Fueron las dos, por detrás de mí, hacia la cama de Suzanne.

—Le gustaba hasta la mamuasel. Le dio la mano al irse, ¿te fijaste? Vete a saber, ésa.

—También el señorito Juan se la dio. Fue un feo para la señorita Concha.

—Buena es la señorita Concha para una cosa así.

—Los hombres todos se defienden, se encuentran disculpas para todo. Quiso que se quedara, encima, la señorita estaba sulfurada, pero él con la cara y el pelo les cascó que se iba con ella, que se iban a casar, y encima les pidió una colocación. Debió de quedarse de una pieza cuando vio llegar al mecánico de la oficina. ¿Qué se creía? ¿Que se iba a hundir la casa porque se iba él? Dijeron que era menor de edad, que no tenía más remedio. Para que aprenda a enredar.

—Le molestó cambiar de mecánico. En cambio el señorito Andrés como si no se enterara de quién llevaba el coche. A ése todo le entra por un oído y le sale por el otro.

—A los hombres esas cosas no les importan. Bueno, hija, los hombres...

—El señorito...

Francisca se volvió. Dijo, más alto:

—¿Tienes para mucho con tu plana? Mira que siempre castigada.

—Todo esto —dije.

A través del amplio colchón juntaron las cabezas, dijo algo, oí:

—manchadas.

Se rieron agudísimo. Francisca pegó muy fuerte sobre el colchón, Obdulia también, tan acaloradas. Sacudían, sacudían, apretando los labios. Resoplaron, echándose atrás, respiraban de prisa, después de haber pegado. Obdulia se apartó un pelo de la frente.

—Ésta...

—Lo que no sepa ésta. Es un veneno. La tía no puede verla.

Tía Concha también decía:

—Lo que no sepa ésta.

Me miraba como si fuese un asco saber.

—No me digas que no lo sabías, no me vengas con ésas, a mí no me engañas.

Bajamos a la ciudad a ver escaparates. La tapia de los salesianos, la Atalaya, torcer a la derecha —enfrente el cuartel— la Atalaya en cuesta rápida, en recodos hacia la ciudad. Olor a pan, olor a tinta, a desperdicios, tiendas en los portales, un carrito en la cuesta con cintas de colores colgando del techo, prendidas las piezas, botones, pendientes entre el serrín; en un recodo, un viejo en una silla baja con una cesta de asa llena de caramelos. Ana, al otro lado de Suzanne, con Odón; Clota a su derecha; junto a Clota, yo. La cuesta de la Atalaya era un tobogán lleno de chiquillos, de mujeres, de hombres de trabajo, perros sueltos.

—¿Por qué vas canturreando? No se canta por la calle.

La cuesta sin muros —con muros fuera de nosotros, a los lados— hacia las calles, hacia la gente, hacia la mar, hacia el fondo que veíamos desde arriba. Un edificio grande a la derecha, al terminar la cuesta.

—¿Por qué te santiguas? Es el instituto.

Nos reíamos.

—Dice mi mamá que en esa pastelería guardan los dulces de un día para otro, llenos de moscas.

Suzanne se había parado con una amiga.

—Verás cuando lo sepa mamá.

—¿Se lo vas a decir?

Ana dijo:

—No.

con los labios apretados.

Odón dijo:

—La van chistando los hombres porque enseña las rodillas.

Clota se rió, se llevó la mano a la boca.

—Dice Tomasa que le gusta mover el culo.

—¡Clota!

Ana la dio un manotazo.

—¡Niñas!

de Suzanne. Y después:

—Te dejo.

Me pareció que los ojos de su amiga rubia se burlaban de nosotros.

—¿Es Madeleine?

—Madeleine.

Suzanne empezó a tararear. Ana me miró, guiñando un ojo.

La calle de La Blanca partida por la mitad: no sabía cuándo pasábamos de La Blanca a San Francisco, cuándo estábamos en San Francisco o en La Blanca.

—¿Allí te llevaban a ver escaparates?

—No los hay.

—¿Cómo pedías, entonces?

—Pedía de memoria.

El Paraíso de los niños. El muñeco grande se parecía a Roque de pequeño, pañales blancos, largos faldones, una boca muy redonda entreabierta, un agujero en mitad de la boca. Tenía las manecitas extendidas.

—Es de celuloide.

Clota pidió lo mismo. Ana nos preguntaba:

—¿Escribisteis ya la carta, vosotras?

—¿Y tú?

Se reía.

—Tengo tiempo, yo. La hago volando.

Pedí también una radio sin decírselo a nadie. Bajamos con el sobre en la mano hasta correos.

—¿No hay correos en tu aldea?

—Se la dábamos a papá.

Plus Ultra. Alas plateadas para los jerseys de los chicos, avión de madera con las alas pesadas, avión de papel sobre un armazón metálica. «Plus Ultra» ponía en letras azules, en letras rojas. Antonio y Elías al borde del río, impulsando al avión de papel.

—A atravesar el Atlántico —gritaban, abriendo los brazos.

Chiquillos acudidos, mirando, todos pendientes de aquel trozo de papel y metal, el viento sacudía el papel sobre el armazón, lo hinchaba. Partió hacia arriba, cayó inmediatamente sobre la orilla del río.

—De prisa, que se le mojan las alas.

—Déjale secar.

El agua en las alas era plomo de pájaro. Lo llevaron con cuidado sobre las piedras. No hacía sol.

—Despegó, ¿lo visteis?

Con cuánto cuidado lo llevaban.

En el sobre habíamos escrito por indicación de Suzanne: «En el cielo.»

La ranura en la boca del león de bronce. En el cielo.

—Ahora tú.

Estiré un poco el brazo, subida de puntillas, la ranura se tragó mi carta.

—Si habéis sido muy buenas, os traerán lo que habéis pedido.

—Si no sois buenas los Reyes no os dejarán nada en el zapato.

(La carta estaba escrita. Ponía: «En el cielo.»)

—Si no sabéis bien las lecciones...

—Los Reyes están muy pobres este año.

En mi zapato, asomando, un muñeco pequeño, tan pequeño, me cabía en la palma de la mano. Apreté la mano en torno al celuloide (traía una camisita y una braga de percal blanco) me pareció tibio, con sus ojos pintados de claro. Estreché el muñequín en la mano, sintiéndome roja hasta las orejas.

—¿No habías pedido una radio?

Tía Concha sonreía, mirándome desde lejísimos. Un aparato de radio allí. Me precipité a accionar el botón sin soltar el muñeco: era una hucha.

—Lo que tú no sepas —sonreía.

—Mira, Tadea, exacto. Exacto.

El muñeco de Clota, exacto al que habíamos visto en el Paraíso. Demasiado grande, demasiadas pestañas. Apreté mi muñeco más y más, era como un pájaro.

—Qué pequeño el tuyo. ¿Pero no habías pedido uno como éste?

—No habrá sido buena.

—Me gusta más así.

—No digas mentiras. Le pediste como el mío. El tuyo no cierra los ojos.

—Me gusta más.

Oí a tía Concha. Dijo a Suzanne:

—No dará su brazo a torcer.

Nada más deseado que aquello tan pequeño que me despertaba un calor tan grande.

—¿Tu radio funciona?

—No, es una hucha también. Pero el muñeco, has visto, tiene babero, gorro, cierra los ojos, el chupete.

—¡Qué tonterías!

—...pestañas de verdad. Luego, libros de cuentos, lápices.

—A enseñar las cosas a la abuela.

Estaba en su cuarto, en la ancha cama de metal dorado. Francisca le retiraba la bandeja del desayuno.

—¿Nada más? —dijo la abuela. Y miró a tía Concha.

Tía Concha apartó los ojos hacia el espejo del armario, dijo:

—Tadea no ha sido buena este año, no se la puede premiar, encima. El muñeco es de la misma clase que el de las mías.

La abuela dijo, muy despacio:

—Los primeros Reyes en casa de su abuela.

Una voz sin altos ni bajos, no se sabía si había cosas detrás de la voz, como con los otros.

—...distinta situación. Acostumbrarse. Su padre... Sal, Clota, vete a enseñar tus Reyes a Patrocinio... Su padre no ha mandado nada.

La camisita al niño se le remangaba por delante. Tenía los brazos delgados, doblados por el codo.

—Está al cabo de la calle de que son los mayores. El otro día se lo pregunté, cuando leí la carta. «Tú sabes, naturalmente, que son los padres.» Se me quedó mirando, con esa sonrisita. Que niegue ahora. No es el caso de Clota. Ana, puedes marcharte con tu hermana, y ni una palabra de lo que se habla aquí, ya lo sabes.

—Ya, mamá.

Las palabras de prisa, de prisa, galopando por dentro, con ruido de cascos. La víspera sin acabar de dormirme. Espera y miedo: la gran luz, los cascos de los caballos por la Vía Láctea del Alta, ventanas rotas cuando la noche cuaja, lo que no era como nosotros.

—Confiésale a la abuela que lo sabías.

Francisca dijo, con su voz aceitosa:

—Señora, si es un muñeco monísimo. Mucho más mono así de chiquitín.

—¿Te gusta? —preguntó la abuela.

Dije:

—Sí.

Tuve que empinarme para llegar hasta sus almohadas.

—Ahora a jugar.

Ojos azules, canicas claras. (En la carta había escrito: «con ojos azules».)

Ana me preguntó:

—¿Desde cuándo sabías que no hay Reyes? Y yo que me creía que no habías perdido la inocencia.

—¿Qué dices?

—Que desde cuándo sabías.

—¿Pero qué sabía? ¿Qué es?

La miré. El muñeco se había hecho caliente en mi mano, podría llevarse en el bolsillo, asomado por el borde.

—Que no había Reyes, que eran los padres los que ponían los juguetes.

(Su padre no ha mandado nada.)

—De pequeños nos dicen así, que son los Reyes. Clota no lo sabe, no hay que decírselo.

—Todos pronto a la cama o no vienen los Reyes.

—¿Dormiste?

—Los oí, Tina. Me tapé hasta por encima con las mantas.

—¿Los oíste?

La luz vivísima en la noche,

—La niña oyó a los Reyes...
la claridad desde algún lado, un ruido atronador, un gran ruido. Tapándome. (Perdón. Perdón.) Apretando los ojos.
—y rompieron los cristales.

—¿Cómo no los veíamos?

—Lo esconden en el vestidor de tío Juan, lo guardan, lo ponen cuando estamos dormidas.

(—Rezad a los Reyes para que os traigan cosas.

Rezos en la capilla, delante de Cristo y la columna.

«Vinieron unos magos desde Oriente, guiados por la estrella.»

—Habrá que dejarles champán y turrón. A ver, niños.)

—Todo es mentira. A mí me dio una rabia cuando me enteré.

Metí el índice en la boca del muñeco para que chupara.

—¿Por qué?

—No hay Reyes, era engaño. ¿A ti no te importó?

Me parecieron los labios de celuloide tibios. ¿Si se hacían carne?

—No —dije.

Le tapé los ojos con la mano para que durmiera.

XVIII

Mientras estudiábamos, cerrada la puerta de nuestro cuarto. Mientras dormíamos, cerrada la puerta. Para jugar, al fondo de los plátanos, cerradas las cancillas de la huerta, sin traspasar las aberturas del seto. Cerrada la puerta grande del jardín, rematando el muro. Cerrada la puerta del baño, con Suzanne dentro.

—No te cierres por dentro en el retrete.

Cerrado el camisón sobre nuestro cuerpo al desnudarnos.

—Cerrad los cuadernos.

Cerrado el estercolero, cerrado el pozo.

—Se habla más bajo.

Cerradas las voces.

—No se corre como si estuvieras loca. Compostura.

Cerrado el aire, cerrados los caminos.

—A nadie le importa lo que tú piensas.

Cerrado.

—Otra vez las lagrimitas. Se guarda cada cual sus penas, si las tiene.

Cerrado el borbotón de las lágrimas.

Cerrado el invernadero. Las plantas encerradas para crecer, para no morirse a los fríos, a los vientos, recogiendo a través del cristal un sol friolero.

—A ver, Ana.

Suzanne se inclinaba sobre su cuaderno. Pegaba su silla a la de ella.

—Vosotras ir copiando.

Ana decía:

—Lo vuestro es tan fácil.

Se adelantaba a contestar cuando nos preguntaban, se le escapaba de la boca.

—¿Quieres callarte? Ya sabemos que lo sabes. Tú a estudiar lo tuyo, luego te preguntaré.

El cuarto con los siete ventanales, sola la mesa redonda en el centro, bajo el tintineo de la lámpara.

—No os distraigáis. Cerrad la ventana.

Bajar despacio, a pulso, la ventana de guillotina: prado de Piano, sendero a Cueto, prado de Piano. Vacas. Al fondo, en alto, mar. En alguna parte.

—No des esos golpes para sentarte, no empujes, mueves toda la mesa.

De espaldas a la ventana. Frente a mí, la puerta cerrada. Dos paños de madera con tres cuadrados cada una, el puño dorado, el pasador dorado. Marrónrojo. Ojos en la madera, lagos, la corriente del Gulfstream.

—¿No oisteis nada?

—¿Oír qué?

—Mientras estabais en clase. En el patio de cristales.

—¿Qué? ¿Qué?

—Clota, que te marches, qué posma.

—Quiero oír.

—No expliques nada, Odón, ropa tendida.

Clota estaba a punto de llorar. Inclinaba mucho la cabeza sobre el hombro izquierdo.

—También le van a preguntar a ella.

—¿A Clota?

—Seguro que me la cargo —dije.

—¿La pusiste tú?

Alcé los hombros.

—¿Cuál?

Odón tenía la voz desafinada. Hablaba con súbitos agudos, como la aguja cuando raya un disco.

—Francisca se ha clavado un paquete de agujas en el brazo.

—¿Un paquete?

—...le andan corriendo por dentro. Quieren saber quién las puso.

Agujitas finísimas zigzagueando por una grasa amarillenta.

—¿Cuándo?

—¿Qué le han hecho?

Odón apoyó un pie tras otro en la corteza del plátano. Apenas una rozadura.

—Está en el sanatorio.

—¿Quién te lo dijo?

—Al entrar del colegio, están todas revueltas. ¿No oísteis nada? Parecéis bobas. Fue arriba.

Nos miramos las tres.

—¿Arriba?

—En la cama turca del cuarto de costura. Fue a lavarse el pelo. Viene... Disimula.

Ana se inclinó sobre la tierra con una piedra, empezó a cuadricular la tierra. Suzanne se acercaba, ligera, andaba siempre con tacones afilados, el cuerpo le oscilaba como el metrónomo en la sala de música, en su caja negra. Bajaba por el sendero delante del magnolio, balanceando los brazos.

—Francisca se ha clavado un paquete de agujas —Clota se precipitó a su encuentro. Ana y Odón se miraron, apretando los labios.

—Ya. Qué cosa más boba.

—¿Quién se lo ha dicho?

Cogió por el hombro a Clota. Ana se enderezó, con la piedra en la mano.

—¿Cómo se las clavó?

—No lo sabe. Se echó un momento sobre la cama turca del cuarto de costura, estaban en la almohada. Para que tengáis cuidado de no echaros así, a lo bruto.

Se sentían agujitas dentro, dando vueltas.

—¿Se las han sacado? —preguntó Ana.

—A ver si llegan a tiempo, corren tanto.

—¿Cuánto es un paquete?

—Veinte agujas.

No podíamos jugar. Estábamos delante de ella, sentada

en el banco. Veinte agujas finas, aceradas, como una lluvia fina pinchando dentro.

—¿Estuvo alguno de vosotros en el cuarto de costura? Ayer por la noche, esta mañana temprano.

—¿Cuándo fue?

—Alrededor de las diez.

—¿Mientras la geografía?

El cuarto cerrado. Por fuera del cuarto, a un paso, Francisca corriendo, con sus agujas en el brazo.

—¿Qué le han hecho?

—Tu mamá la llevó al sanatorio, ya veremos. Todavía no han vuelto.

Al entrar, estaban en su comedor Patrocinio con Tomasa, Obdulia, Rosendo, el mecánico de la oficina. Había dejado la gorra sobre el hule blanco de la mesa.

—¿Qué tal Francisca? ¿Qué le hicieron?

Rosendo dijo:

—Quedó allá —se secó la frente—. Una carnicería, le sacaron siete, se les escapaban. Raja y raja en busca de las otras, corrían como gusanos. No saben cuántas faltan.

Tomasa dijo:

—Si era el paquete entero...

—No lo sabe.

—La durmieron. Estaba como muerta.

—¿Sintió algo?

—¿Quién pondría las agujas en la almohada?

—Ahora estaba vomitando el cloroformo. Todo el brazo vendado, aquí y aquí, medio pecho, el hombro.

Obdulia dijo:

—¡Jesús María Santísima!

—Sólo para aguantar las vendas, tú. La abrieron sólo el brazo.

—¿Quién dejaría las agujas en la almohada? —Patrocinio apretaba un dedo contra el labio—. No es sitio para ponerlas, me canso de decirlo: las agujas en el costurero, cuando acaban. Como si cantara un fraile.

—Ni se daría cuenta. Se dio media vuelta, se las clavó todas.

—Qué raro.

—...pinchadas en la almohada, sobre la colcha.

—¿Cómo no se daría cuenta? No me explico.

—¿Todas?

Rosendo dijo:

—A los médicos les pareció una cosa rara, según dijeron a la señorita Concha.

—¿Podía hablar?

—Sin ganas, mareada, más blanca que la sábana.

—Si cuando salió corriendo con aquella cara ya vi que le había pasado algo. ¡Me pegó un susto!

Obdulia se apretó la cara entre las manos.

—La suerte que yo subía a arreglar, si no se desmaya sola.

—Los niños no fueron —dijo Patrocinio—. Yo estuve pasando una bata a la máquina hasta después de cenar, y por la mañana...

—Vaya a saber, los chiquillos.

Tomasa me miraba.

—...con todo el pelo suelto sobre la espalda.

—Si no podía ser para lavarse la cabeza, no se podía mojar.

—Le dan esas jaquecas cuando anda así, le pesaría, tanto pelo. Le digo que tenía los ojos hundidos, hundidos, se le iban al cogote, con los labios temblequeando, creí que le iba a dar un ataque.

—No pudieron. Al menos de Clota y Tadea respondo yo. Se levantaron, rezaron, se pasaron la cara y las manos, bajaron a desayunar pegadas a mí. En el descansillo nos esperaba Ana, Odón ya estaba en el colegio. Subieron las tres conmigo a clase. Ninguna pidió salir en ese tiempo.

—...dos aspirinas.

—Odón dice la señorita Concha que no subió para nada al tercer piso, por la mañana marchó derecho a las ocho en punto, y Ana duerme con ella estos días, no subió al tercero hasta después de desayunar. Todo se lo cargan a los niños —dijo Patrocinio.

—Donde hay niños...

—Pues lo que es yo —dijo Tomasa.

—Pues mira que yo.

Miraban a Tomasa.

—Otra, ¿quién iba a hacerlo? —Tomasa manoteaba—. Eso fue que ella misma las pinchó y se le olvidaron luego. Jolín, quién iba a plantar eso allí.

Nadie nos preguntó nada. Fuimos a la biblioteca mirándonos de reojo. Nos acercamos Ana y yo a la ventana, pegando la frente al cristal.

—Que empañáis el cristal, niñas. Sentadas en vuestro sitio.

Sobre la alfombra, esperando. Tío Juan echado en el diván semicircular, al fondo, hojeaba el *ABC*. Tío Andrés estaba de viaje, la mesa de despacho vacía, quieta. La abuela en su butaca, en su ángulo entre la mesa de despacho y la ventana. Tía Concha calceteaba con la cara de siempre.

—Jugad a algo tranquilo.

Odón trajo las barajas que estaban sobre la mesa de despacho.

—Esas rodillas...

—Jugando al baloncesto.

Tenía unos pelos lacios rubiooscuros por las piernas.

—No me gusta que te quedes al recreo, Odón. Esos niños. No tienen la misma educación. Das tus lecciones y vienes a casa, se lo dije al director.

—Pero, mamá...

—Son otras familias que la tuya. ¡Pobres! Muy buenos, no es nada malo, pero no son compañía para ti.

—¿Quién saca?

—A la brisca.

—A la mona —dijo Clota.

—A la brisca.

—Poneros de acuerdo, no peleéis.

Me tocó Clota de pareja. Se sentó frente a mí.

—Has dejado caer una carta aposta.

—¿Yo?

—La tapas con la falda.

—No me empujes. Me empujas, bruto.

—Clota, no se dice bruto... Se dice torpe, brusco.

—Me ha llamado tramposa, mamá, siempre se mete conmigo.

Odón dijo bajo, entrecerrando los ojos:

—Imbécil.

Clota se volvió a su madre, apretando las cartas contra el regazo.

—Me mira las cartas.

—No peleéis, he dicho.

—Es una mentirosa.

—No se dice mentirosa —dijo Ana con sus cartas en alto (tenía que volver los ojos para no vérselas)—. Se dice: «has faltado a la verdad». ¿Te enseñan eso en el colegio?

Tío Juan se levantó, soltando la manta al suelo.

—Devuélveme el coche para que baje Patrocinio.

—Tenemos junta. No puedo.

Tía Concha le miró, estirando los labios.

—No te preocupes. Irá andando.

—Vuelve temprano, hijo.

—¿Por qué va a ir andando? —parpadeó de prisa dos o tres veces—. Se pide un coche.

—Puede ir andando hasta la parada, al final de la cuesta. Si no, se acostumbran.

—La última baza es mía —dijo Odón.

Guardaba el tres. Arrambló con las cartas. Ana le ayudaba.

Tía Concha sonrió.

—Hay que saber perder.

SEGUNDA PARTE

XIX

La puerta del jardín se abría desde la cocina. Desde nuestro cuarto, inclinados sobre nuestros cuadernos, oíamos el agiteo de la campana sobre la mirilla de reja negra. Seguíamos estudiando; la llamada se perdía, se fundía, se entrelazaba entre nuestras palabras, las letras, el zumbido del aire, al fondo.

Suzanne dictaba de pie, dando vueltas por el cuarto, con el libro abierto en la mano derecha, dándole rápidos vistazos, o desde la ventana del centro, apoyándolo sobre la repisa, vuelta hacia nosotras. Eran ventanas de guillotina: se abría media alzándola desde abajo. Suzanne la levantaba de un tirón, la apoyaba sobre los ganchos; nosotras entre dos, una en cada extremo, despacio, a pulso.

—Niñas, Julita.

Tardé un momento en levantarme. Ana y Clota corrieron a la ventana.

—¿Podemos ir?

Se marcharon corriendo. Me asomé a la ventana alzada. Desde arriba, el bulto negro aplastado contra el guijo, como si sólo tuviese cabeza, y pies, el penduleo de los brazos cargados. De rodillas sobre el diván espeluchado, apreté la frente contra el reborde de la ventana, lo sentí, aristado y duro, en los huesos.

—¿Tú no vas, Tadea? Es Julita.

Me aparté de la ventana.

—¿Qué te pasa? Te has dejado una señal en la frente.

Tragué de prisa, muchas veces. Costaba pasar la saliva. Esperé un rato en el descansillo de la escalera, frente al cuarto de Tomasa. Después, monté sobre el pasamanos, me deslicé hasta el comedor de Julia.

—¿Dónde va ese caballo?

El chirrido de la madera áspera entre los muslos.

—Tadea, ¿dónde estabas metida?

La risa de Julia, la risa interminable, siempre risa. Apretar los labios, apretar la garganta.

—¿No me dices nada?

Obdulia cogía la cesta.

—Gracias, hija. ¿Y Mariano?

—Ya no está.

—Se marchó.

—¡Se marchó! Hay muchas novedades, Julita, Francisca...

—Se lo digo yo.

—Niñas, niñas.

—¡Julita! —de tía Concha, desde la barandilla.

El abrigosotana alzado por los bordes de la derecha, las botas negras de punta chata, alfombra roja, bola azul estrellada, ojuelos hacia arriba con aquello, con aquello... El pañuelo, Tina, el pañuelo mujer, subía, temblaba.

—¿Dónde va esa cría?

—Tadea, ven.

—¡Ven, Tadea!

—¿No vienes?

La risa interminable. Sola, escaleras arriba por la escalera de servicio.

—¿Dónde vas, torito?

—Ahí va ésa.

Sola arriba, a nuestro cuarto. (No. Suzanne.) Entré en el retrete con su gran aljibe. Corrí el pasador. «En Asturias también lloramos.» El aljibe enorme, quieto, sin ruido de agua. La pompa negra flotando sobre las aguas.

—Julita preguntó por qué no venías.

—No se alzan los hombros, Tadea. ¿Ya no quieres a Julita?

La mano de Suzanne bajándome los hombros.

—Te he dicho: no se alzan los hombros.

—No tienes corazón. Mamá lo dice. Ni se acuerda. Su papá...

—Así le irá bien en la vida —dijo Suzanne.

La lección. Repetir. No está Julia. Apretarse por dentro. Julia no ha venido. No iré. No iré.

—Recoged los cuadernos.

Alisar los forros de papel azulón con muchísimo cuidado, poner todo en montón, de mayor a menor, delante de mi sitio. La pluma de mango verde en el plumier, la punta escobillada de mordisquearla durante la redacción. El plumier se cerraba con una tapa corrediza. En la madera un gallo descolorido, con las plumas finales vencidas, despintadas.

Al abrir Ana la puerta de nuestro cuarto

—En orden, una detrás de otra.

la puerta enfrente. Entreabierta. No mirar.

—Ha traído nueces.

—Ya hablaréis en los plátanos.

La escalera, descansillo, recodo, escalera, comedor de Julia, vaivén, puerta del sótano, jardín.

—¿Pero no has ido antes?

—No tenía ganas.

—Baja pronto. Que no te sientan.

Puerta del sótano, vaivén, escalera, escalera...

—¡Niña!

Estaba de pie, llevaba cosas del cabás —abierto encima de la cama—, a la cómoda negra, sus profundos cajones boqueantes.

—Cuánto has crecido.

No se había marchado. Nunca se había ido.

—Casi tan alta como yo.

Sus babas al besarme,

(después de la lluvia
yérguese la hierba de la tierra)

Me limpié. Julia se rió. Pellizcaba dentro su risa. Siempre riéndose.

Camisón lila de franela, botines, cuarto de hora en compañía de Jesús Sacramentado, la lupa.

—Me dijo la tía que ibas a hacer la comunión, que este año no habías ido allá en navidades para que no te disiparas, que ibas...

—¿Estarás tú aquí?

—Pues claro. Qué cosas tienes. Ahora eres muy buena, Tadea, ¿verdad? Un angelito... ¿Por qué te alzas de hombros? ¿No te importa?

Ah, la Biblia. El libro rojooscuro tan gordo, con los cantos sobados.

Ay de ti, Corazein. Ay de ti, Betsaida.

—No enredes. No son libros para las niñas.

La miré.

—Tiene cosas.

Se llevaba el índice doblado a la boca.

—Pues antes me lo decías.

—Antes y ahora —se rió—. Pero expurgado.

(Hízolos macho y hembra y los bendijo
y les dio el nombre de Adán.)

El cristal de la ventana, las cosas a través del cristal, el espejo, la cama, «si hay dolor semejante a mi dolor» sobre la mesilla, la silla roja baja. La separó un poco de la pared. Otra vez el cuarto allí.

—¿Quién te prepara?

—Me sé de requetememoria el catecismo.

—Estarás contenta, vendrá tu padre.

—Tía Concha dice: no esperarle.

Los ojuelos quietos, en mi cara, de Julia.

—No se puede retrasar tanto, tienes ya nueve años, lo hacen por tu bien. ¿No te importa?

Volví a alzar los hombros sin poderlo remediar.

—No pareces la misma.

Se sentó. Me miró, de pie, delante de ella, con las manos en los bolsillos.

—No pareces la misma. Claro, un año más.

No encontraba qué decir.

—Te quedas ahí, parada.

Estaba allí. Estaba bien. Pero no encontraba qué decir, aunque cuando Suzanne dijo:

—Niñas, Julita

me atropellaron tantas cosas dentro.

—Adiós.

Dijo:

—Tadea...

Volví a asomar la cabeza. Su sonrisa temblona.

—Amor de niña, agua en cesto.

Cerré de un golpe la puerta.

una sola palabra...
s de la alfombra, el laberinto.
con el catecismo, un angelito.
er esperado, se hace más cargo.
nte.
, don Luciano, quiero hablarle.
me miraba para que me alejase. Se queda-
bajo, mirando hacia donde yo me iba.)
fesión todo es secreto.
o se abrió los botoncillos morados a la al-
, sacó un reloj redondo.
ta Concha que no se marche sin hablar con
re morada. Tocaba las cuentas bajadas.
. independiente... aquella casa
e mi mano.
dosa. Su padre...
a con el catecismo, está cambiando. Ya verá.
an. Apretar la penitencia en la mano —bajar
-. Triturar una cuenta.
rampa.
a vuestra prima.
o.
también penitencias, andábamos las tres con
tenía siempre todo el rosario bajado, lo volvía a
ue sabe.
preguntaré.
de tía Concha:
y nada más inmoral que el campo. Aquella Leon-
greñas. Dulce luz. Dulce nombre.
o blanco, la puerta. Descorrer el tirador.
cogerse del brazo. No va uno cogido del brazo.
to y santo...
unía con Julia en su comedor.
para cual —dijo Tomasa desde la cocina.
un beso en la frente a los mayores.

XX

Desde la ventana de su cuarto la catedral, el cristo.

—La tía quiere que nos demos paseos, que andes.

Dos moscas sobre el cristal. Las alas transparentes azuladas sobre la otra. Odón las cogía por las alas, veías las patitas agitándose.

—No te distraigas. Haz punto para los pobres.

Sentada sobre el banco, en los plátanos, junto a Suzanne, o de pie contra el seto de boj que empezaba a florecer blanquiverdoso, con flores diminutas.

—Vosotras a jugar. Dejad a Tadea tranquila.

Bajaba una cuenta del rosario negro, de un misterio solo, con cuentas pequeñitas, rematado en un eccehomo de marfil que por el otro lado era una calavera.

—Bajas una cuenta de la penitencia cada vez que hagas un sacrificio. Al final del día lo apuntas en este cuadernito, llevas la cuenta. Así vas preparando la casa para recibir a Jesús.

Llevaba la penitencia en el bolsillo, prendida con un imperdible. Cuando metía la mano en el bolsillo, Ana empujaba a Clota con el codo.

—No es posible que hayas hecho tantos —decía a mi oído mientras subíamos la escalera—. A ver.

—¿Llevas la penitencia?

Enseñaba a tía Concha el rosarillo.

—Bueno, vas a ser muy buena, estoy segura. No alborotes, toma el aire, muévete, pero sin disiparte.

Don Luciano se quedaba todos los días a comer con la abuela, en el comedor grande. Después de tomar el café me llamaban:

—Tadea, don Luciano.

Cuánto tiempo, larguísimo, en la sala de música, larguísimo y parado, cerrada la puerta corredera que comunicaba con la otra sala.

—No se moleste, aquí estamos muy bien.

Tía Concha decía:

—Tú en esta silla.

Más bajo:

—Junta las piernas.

En alto, ahuecando los almohadones:

—No te tumbes en el diván, no te hundas en la butaca.

Corría la puerta.

—Les dejo solos.

Don Luciano se repantigaba en la butaca.

—¿Traes el catecismo?

o tendía la mano:

—Trae, ¿dónde quedamos ayer?

«Y bajó el Espíritu Santo en forma de paloma.»

Se estiraba hacia atrás en la butaca. Se metía el pañuelo entre la tirilla, con un vivito morado, y el cuello; sudaba. Hundía la mano en el bolsillo de la sotana, sacaba un libro negro, con cantos rojos.

—Busca el santo del día.

Leía en alto. Don Luciano apoyaba la cabeza en el respaldo. Era muy grande, los pies se le empinaban, tiesos.

—¿Sigo?

Boqueaba. Daba un respingo. Con la voz ronca, áspera:

—No pares hasta que yo te diga.

—Se acaba aquí.

Manoteaba, con los ojos vagos:

—Busca otra.

Carraspeaba un poco. Inclinaba de nuevo la cabeza hacia atrás, tardaba un momento en volverse a acomodar sobre el respaldo.

Buscaba vidas, las leía para mí, apoyado el libro sobre las rodillas juntas, aquellas vidas de tantas cosas raras, de

tanta, tanta pe
de Julia, pero
—Eran niños
Se estiraba l
—asistido de
Detrás de él,
Venancio pasar p
carretilla, y a Pu
ventanas de casa.
—Yo pecador…
La voz gruesa, c
to. Tiene una voz.»
boca, como si aquell
—Al bienaventur
De rodillas sobre
bescos; al otro lado
gio enfrente.
—Al bienaventurad
—Sin cantar.
(—Qué bueno, don
tiene que ir a cantar
El aire enrarecido, b
—Y a vos, padre, qu
Los botoncitos peque
Se secaba por detrás de
tan hundidos entre los p
dondos, llenos de venitas
—Vas a recibir a Dios,
Las manos grandes, gr
llas, echado hacia delante.
—Sí, padre.
—Di conmigo: Señor, yo
—…de que entréis en m
Techos bajos desplomad
—Son tan pobres.
Cuadra y casa, animales
suelo de madera: tierrabarro.
col, sudor, puchero rancio. Las
do humedad, sudando frío.

—Mas decid
Los arabesco
(—Casi llora
—Mejor hab
—Tan inoce
—Oiga uste
Tía Concha
ban hablando
—En la co
Don Lucian
tura del pech
—La señor
ella.
En mi pob
—rebelde…
—Déjelo d
—poco pi
—Casi llo
Los niños…
Me mirab
una cuenta—
—Haces
—Dejad
—Mira y
Llevaba
ellas. Clota
subir.
—…lo q
—Ya le
Suspiro
—No ha
tina…
Dulces
El guij
—Sin
Entre san
Me re
—Tal
Daba

—No. Deja a tío Juan. Está descansando.

Ana estiraba la pierna cuando iba hacia la abuela. La sorteaba.

—La conviene moverse, tomar el aire. ¿Don Luciano se ha marchado ya?

—¿Va con Julita?

—Aprovecha para los encargos.

Los primos sobre la alfombra. Bajar la escalera. Julia con su abrigón negro, las botas chatas. Llevaba un bolso negro con la piel arrugada, como si no contuviese nunca nada.

—Tal para cual.

—¿Ya te has despedido, Tadea?

—Déjame en paz.

El ruido del asperón sobre las botas, la risa de Tomasa.

—No corras tanto, no te alcanzo. Las primas están asomadas a la ventana de la biblioteca, ¿no las ves, Tadea?

Sin mirar, derecha hacia la puerta, sintiendo el traquear de Julia, los ojos desde lo alto, por detrás.

Ya del otro lado, Julia tiraba de la puerta, la campana golpeaba con el empujón. Me colgaba de su brazo. Julia sonreía.

—Voy toda sofocada, me haces correr.

La tapia de los salesianos, la Atalaya, Julia a pasos menudos, desiguales, hablando sin cesar.

—Aquella niña, qué rica, qué perra ha cogido. Mira, allí hacen el periódico que leen en casa. Espera, tengo la lista, hay que coger algo de la farmacia.

En la farmacia me daban unas pastillas de menta escarchadas de azúcar, engomadas por dentro.

—Son muy buenas para la tos.

Julia se llevaba unos palitos pequeñísimos negros de regaliz, olían fuerte.

—Para el aliento.

Íbamos chupando hacia la calle de La Blanca.

—Entraremos a hacer una visita, ¿has traído el velo?

La iglesia en penumbra, la lamparilla roja. Julia decía:

—Viva Jesús Sacramentado

arrodillada en un reclinatorio de paja, yo en otro, a su

lado. Rezaba echándome el olor a regaliz.

—No chupes ahora.

Metí la pastilla entre el labio y la encía para responder.

(—Lo que ha cambiado.

—Gracias a Dios podremos hacer carrera de ella. ¿Quién lo hubiera dicho, al principio?

—Era tan cariñosa, tan alegre.

—Se está formalizando.

—¿No estará triste, Concha?

—¿Triste? Julita, que no te oigan las niñas esas cosas. Las niñas no están nunca tristes.

Se volvió a mí. Dijo:

—¿Estás triste?

Respondí, alta la cabeza:

—No.

Julia miró hacia la ventana de la biblioteca.)

El Cordero, sacrificio, el día más feliz, la Sangre y la Carne, el pecado, pecado, dolor de atrición, dolor de contrición —¿estás triste por no tener recompensa o estás triste por la pena que haces?—. Las cosas no se tienen sin merecerlas, sin más ni más, así como así: si quieres ganar el cielo, hay que ser bueno. Yo no soy digna, mi pobre, pobre, pobre morada. A imagen y semejanza de Dios. Puedes morirte cuando Dios quiera, en este momento mismo, cuando menos se piensa. (Vendrá como ladrón.) La lámpara encendida. Por la noche puedes morirte, al despertar puedes morirte, al salir de casa puedes morirte. Puedes acostarte y no despertar.

Como me echo en esta cama,
que tan descansada duermo,
¿cuántos se han echado en ella
y han amanecido muertos?

Lo rezas desde pequeña, ¿te das cuenta? Dios del otro lado, allí no valdrán explicaciones. Dios juzgándote, tribunal de Dios, la balanza. Dios justo juez. En todas partes. En todos sitios al mismo tiempo. En tu cuarto, en los pasillos, en los plátanos: Dios. Nada se escapa a Dios. Nadie se escapa, lo ve todo. La pureza. Pureza. Pureza, santa virtud de la pureza. Hacer llorar a la Virgen. Cuerpo templo de Dios. Cuerpotemplo: santificarlo. Niégate a ti mismo. Antes morir que pecar. «Nosotros, pobres pecadores.» Naces ya con el pecado original. Se nace con el pecado. ¿Qué es preciso para cometer pecado grave? Conciencia, entendimiento y voluntad. El castigo: trabajarás con el sudor de tu frente. ¿Por qué me miras a la frente? ¿Tengo algo en la frente? La muerte. Trabajo, hijos con dolor, muerte: tres castigos al hombre por su pecado. Dios justo. Castigados por Adán, en quien todos pecamos. La muerte es ver a Dios, es el gozo del justo, no hay que temer la muerte. Nos redimió de la muerte eterna. La muerte, todos tenemos que pasar por ahí, los más sabios y los ignorantes, los reyes de la tierra y los más pobres, más pobres. Si todos los días te acordaras de que tienes que morir no pecarías.

Yo, ¿para qué nací? Para salvarme. Que tengo que morir es infalible. ¿Sabes lo que es: infalible? El Papa es infalible, la muerte es infalible, Dios es infalible. Papamuerte-Dios. No se nace para el placer, para el mundo, para las criaturas. Naces para hacer méritos para el otro mundo, para salvarte. Pureza. No lo explicaban, como creer lo que no se ha visto.

Dejar de ver a Dios y condenarme

(—¿No está triste, Concha?

—No le metas ideas en la cabeza.)

¿y río, y duermo, y canto, y quiero holgarme?

Aguantar los ojos mucho abiertos, no rendirme al sueño. «¿No habéis podido velar una hora conmigo?»

(—Antes se reía con toda la cara, era una exhalación.

—Que la vea el médico.)

«De noche no puede ser.» El sótano. ¿Y canto? Y canto. Y canto...

La sierva de Dios, Gemma Galgani no miraba a su padre porque era hombre —bajar una cuenta, muchas cuentas—. Luis Gonzaga no besaba a su madre. Margarita de Alacoque comió un gargajo. Virtudes heroicas. ¿Y yo?

¿Y yo? No miraba a su padre. El cuarto, honrar padre y madre.

(—Dice Obdulia que tiene las almohadas húmedas por la mañana.

—¿A estas alturas?

—Las almohadas.)

Qué santo debía de ser, no besar a una madre en la cara. «Desde niño cultivó la virtud de la pureza.» Un azadón pequeño, pequeño, sobre un pecho. Cultivó. Pureza. No había que pensar. Era misterio. Dejarse matar por defender su pureza. Santa Catalina se soltó el pelo, el pelo la cubrió sus desnudeces

(—No digas desnudeces.

—Lo pone el libro.

—Se dice: la cubrió.)

el pelo la cubrió cuando la llevaron al palacio del rey. Tenía que ver con estar vestido, pureza, porque el pelo la tapó. Mi pelo corto, corto, sobre el cuello. *Hecha un cristo.* Se dejó matar con tres tormentos antes que perder su pureza. Despreciar el propio cuerpo. Castigarle. Respetar el cuerpo, templo. Andar con modestia, dormir con modestia, templo de Dios. La carne de mis manos, abultada en la palma, junto al pulgar.

—Métete el camisón.

Por arriba, sin quitarte la ropa, hasta que hacías una tienda de campaña, un balón sobre ti.

Suzanne en el baño:

—Il ne faut pas se regarder.

De pie, sobre la bañera, para las piernas; de rodillas para el vientre, el pecho, la espalda.

—No te mires al espejo. Frota bien.

Como me echo en esta cama
que tan descansada duermo

Las sábanas frías, tiesas.

—Buenas noches.

Como me echo en esta cama
me echaré en la sepultura.

Cerraba la luz. Mis dientes castañeando. Quieta. Quieta. Dejar pasar. Suzanne se marchaba, no se quedaba bajo la tulipa verde. Oscuridad. Iría a oír música. Odón lo dijo.

Clota en la cama. No podía ir. Me estaba preparando. Extender despacio el brazo, tocar la pared lisa.

me echaré en la sepultura.

Aguantar la respiración. A ver cuánto aguanto. No se aguanta. ¿Qué viene ahí, en lo oscuro? Siempre preparada. Estiré las piernas. Juntas las manos sobre el pecho, una sobre otra. Así. Pesaba la cabeza. No dormir. Vendrá como ladrón.

¿y río, y canto, y duermo?

XXI

En la sala de música estaba la gramola, alta, brillante, una manivela a la derecha.

—¿Me permites? —dijo Ana pasando el cuaderno por delante durante el estudio—. Es tu cuaderno.

Cogí el cuaderno. ¿Cómo lo tenía ella?

Lo abrí. La letra de Ana en un papel, metido en la primera hora en blanco, donde terminaba el deber de la víspera: «Sal dentro de un rato al retrete. No cierres la puerta. Tengo un secreto.» Ir. No ir. Vaivén por dentro, sudaban las manos. Aquel pellizco en el repliegue de las rodillas, por detrás. Sentía la penitencia en el bolsillo, pesaba; aunque no la toqué, me di cuenta de que estaba allí. Metí la mano, la repelí vivamente, me puse de pie.

—Sí

dijo Suzanne inclinando la cabeza.

(Que esté ocupado.) Abrí la puerta, cedió, la cerré sin pestillo, esperé, del otro lado, contra la pared, de cara al aljibe.

—Hola.

Ana sonriéndose.

—¿Qué querías? Tengo que volverme. Tengo que...

—Calla, tonta.

Cerró el pasador con cuidado, mordiéndose los labios. Se volvió.

—Ven.

Me llevó al otro extremo, cerca de la baza. Había una

ventana emplomada entre las tejas. Se veía sólo cielo blanco.

—En bajo. ¿Sabes lo que me ha dicho Odón?

—Se va a dar cuenta de que estás aqui.

Se alzó de hombros.

—¡Miedica! Le he dicho que tenía un recado para mamá. Además... Se va a casar con el tío Juan. ¿Qué dices? ¿No te extraña?

—Ya lo sabía.

—No lo sabías. Plancheta. Los ha visto Odón. Se lo han dicho en el colegio, uno de quinto. Se ven en la playa.

—En la sala de música.

—Bueno, pero eso no lo sabe mamá, la playa, fíjate... Ella está toda contenta, ¿te has fijado? Se pasa el día cantando «En una aldea de España oí».

—Los niños del colegio...

—Los conocen, fíjate, nos ven por las ventanas. El mayor le ha dicho que están en la playa, que las dos francesas se bañan en traje de baño, y que el tío Juan baja vestido, sólo se quita los zapatos. Se van lo más lejos, a la segunda playa, entre las rocas, ellos les ven asomándose desde Piquío, encima. Ellas apoyan la espalda contra las piedras. Sale toda mojada, dando saltitos, se echa en la arena boca arriba. Los chicos lo ven todo, tío Juan la habla, apoyado sobre un codo o

Miró hacia atrás, aunque estábamos solas. Solas y cerradas.

—o le echa arena en cucurucho con la mano, por aquí, por aquí.

Cuerpo templo de Dios. Respeto. Dije:

—Por eso no comulga los domingos.

—¿Eres tonta? No hay casetas todavía, ella se pone la ropa sobre todo mojado, qué asquerosa. Dice Odón que el de quinto le ha dicho que están pistonudas.

Se mordió el labio de abajo al decir pistonudas.

—Odón me cobró una peseta por contármelo, fíjate, está aprendiendo unas cosas con los chicos. Salgo yo la primera. Tira de la cadena, no oigan la puerta.

—No. Yo. Salí la primera.

—Salgo yo.

Me empujó. Me quedé sola un momento haciendo tiempo. El agua solitaria, el gorgoteo, la pompa negra flotando, moviéndose levemente, agitando. Entré en la clase sin mirar a ninguna a la cara.

—A ver, no perdamos tiempo.

Por encima de la tela, la carne en el escote tan blanca, los dos huesos marcados, caminito para la arena, las manos delgadas, vivas.

—Vamos a ver, Tadea, la consagración.

Empecé en voz muy baja:

—Santísima madre de Dios y Madre mía

—Más alto. ¿Por qué recitas con los ojos bajos? Levanta esa cara.

—Y te ofrezco mi pureza.

Los ojos negrísimos, estrechos, una boca redonda muy roja, el trazo finísimo, como una raya, de las cejas. (Ella se tumba boca arriba. Él la habla apoyado sobre un codo.)

—Repite, ¿por qué te paras?

—No tengo ganas.

—¿No tienes ganas de qué? Habráse visto.

—¿Por qué llora? —de Clota.

Con la cara tapada con el brazo, llorando sobre la mesa. Me tocó con su mano donde empezaba el pelo. Me revolví. Dije:

—¡Pagana!

Me dio una bofetada. Nos quedamos mirándonos como si sólo entonces nos viésemos. Ana se marchó dejando la puerta abierta.

—¿A quién has oído semejante cosa? Repite.

Un dolor intolerable dentro. No era el dolor de tijereta, sino un desfondamiento. Yo no quería... Le brillaban los ojos, enfadados. Parecía dura, tan delgada.

—Ahora mismo bajas conmigo y lo repites delante de tu tía.

Estaba Ana allí, mordiéndose los pellejitos de las uñas. Tía Concha miró a Suzanne desde lejos.

—No me gusta envenenar las cosas, siempre me callo, pero esta niña...

Los ojos distantes, friísimos de tía Concha. Puso la mano sobre mi hombro.

—A esta niña sin madre no se la pega en esta casa.

—Me ha faltado al respeto delante de todos.

—Todos me hacen alabanzas de Tadea, de cómo se porta actualmente.

—¿Usted sabe cómo me ha llamado?

—Con los niños hay que tener cuidado.

—Si me desautorizan...

—Será mejor que no estén las niñas delante, ¿no le parece?

Suzanne me aferró el brazo.

—Tendrá antes que pedirme perdón.

—Si lo cree necesario... Humíllate, Tadea, ofréceselo a Jesús.

—¡Señora!

Dije:

—Perdón.

Me soltó el brazo. Apartó su mirada de mí, asqueada. (Vámonos de aquí, de prisa, vámonos, al invernadero, a los plátanos.)

—Quédese usted un momento, Mademoiselle.

Ana me dijo, cerrando la puerta:

—Buena le va a caer. Has estado heroica.

—Pero yo no quiero que la riñan... Nunca se mete.

—Idiota, qué te importa. Estamos hartos de ella. Lo he contado todo, me lo ha sacado mamá. Me dijo: «Ni una palabra a las pequeñas.» Así que ya lo sabes.

Dijo, riéndose, con los ojos entrecerrados:

—La echarán por haberte pegado.

—Pero si a mí no me importa, a mí qué.

Quería volver al cuarto.

—No me hizo daño.

Me agarró por el brazo.

—Encima que te defiendo. Como lo digas...

Odón subía la escalera. Ana se precipitó a su encuentro.

Subí al cuarto, cogí el cuaderno, me apliqué en copiar. Sentí bien sus tacones a través del cuarto de cristales, hacia nuestro cuarto. Cómo abría la puerta, cómo entraba, separaba la silla, se sentaba en su puesto, con las otras ausentes. Solas las dos. Pasó de prisa las páginas. Empezó a dictarme:

—Lorsque l'enfant paraît, le cercle de famille...

La voz afónica, baja. No leía. Aquello no estaba en aquella página. La miré un segundo: tenía los ojos rojos, hinchados, fijos en el libro, sin moverse, con los dedos de la derecha desgarraba un pañuelito. Clota entró y la besó. Volvió a ella la cara. Se cruzó con mis ojos. Dijo:

—Estarás contenta, víbora, tu tío lo sabrá.

Clota dijo:

—¿Cuándo se marcha?

Suzanne apretó el pañuelo.

—¿De dónde sacas eso? ¿Marcharme yo? Es el colmo.

—No sé. Ana lo ha dicho. Ha dicho que mamá...

El baño con Suzanne delante. No mirarla. Frotar sin mirarla. Sus ojos fijos en mí. No me tendió la toalla. Salté sobre la alfombrita de corchos, la cogí del banquillo. Entonces dijo:

—Algún día lo pagarás, también tú. Las faltas de corazón...

Miró mi cara en el espejo. Sus ojos taladraban.

—Cuánto daño te hice, ¿eh?, cuánto daño.

—Yo no lo he dicho.

—Tú no dices nunca nada —entrecerró los ojos—. ¡Hipócrita!

Tía Concha en el descansillo. Me besó en la frente, al pasar.

—Buenas noches, hijita.

> Como me echo en esta cama
> que tan descansada duermo

Suzanne escribiendo. Pliegos y pliegos. No terminaba nunca. Escribiendo con rabia, con furor, bajo la lámpara grande encendida. Cerrar los ojos, boca arriba, los brazos extendidos a los lados.

No besar a una madre en la cara debe de costar más todavía. Más daño. También la madre... Sobre los párpados cerrados la luz encima, fuerte. ¿No bajaba a la sala de música?

Me revolví en la cama.

—¿Quieres dormirte de una vez?

La pluma se había detenido.

—¿Eh, la conciencia sucia?

Clota preguntó desde su cama, al otro lado:

—¿Se va usted con otros niños?

—A callar, Clota, a dormir.

—Yo no quiero que se vaya.

Hubo un ruido como si Clota se hubiese puesto de pie sobre las sábanas. Suzanne se acercó a su cama. Dijo:

—No te preocupes. A mí no hay quien me mueva.

La arropó, y después, andando de nuevo hacia la mesa:

—Ya veremos qué dice tu tío de todo esto, cuando vuelva a casa.

Hablaba para mí, aunque tenía los ojos cerrados, casi sin respirar.

—No te hagas la dormida.

XXII

Las calles de la ciudad eran intrincadas, algunas empedradas con adoquines. Había aquellas dos que eran una sola, La Blanca-San Francisco, aquel trozo pequeño antes de llegar al puente (a la derecha, confitería de Varona), el puente sobre calle, no sobre río, todo gris renegrido de pronto hacia la catedral.

Fui con Julia a recoger las bulas. El olor a humedad, a mar estancada, la calle con adoquines, partiendo en recovecos desde allí.

—¿Por aquí adónde se va?

—A la rúa Alta.

Echamos a andar hacia arriba, hacia más allá.

—Mira, ves, por aquí se va al hospicio.

Puertas estrechas y oscuras, mujeres en las puertas, ventanas entornadas.

—¿Cómo has llevado a Tadea por la rúa Alta? Qué cosas tienes, Julita.

—Estábamos en la catedral...

—Esas calles. Unas niñas.

Patrocinio también habló de las calles con Julia, cuando pasamos hacia el comedor.

—Calles malas.

En alto, se despeñaba la calle en declive, con rampa y barandilla negra a un lado. Mujeres andaban en albornoz, como si la calle fuera su casa.

Por La Blanca, a la izquierda, se podía llegar al Muelle.

También por debajo del puente, a continuación de Atarazanas. Casas con miradores, en ringlera, dándole cara al mar de la bahía. A trechos, frente a las casas, en la calle misma, dentro de la acera, bajo los árboles, sillas de hierro en dos filas. Nos sentábamos. Julia abría el bolso negro de piel arrugada, como una tripa floja, pagaba por las sillas. Estábamos quietas, mirando pasar, si hacía bueno. O, casi siempre, de escaparates por La Blanca-San Francisco. Al regreso, la Atalaya era casi el jardín de casa.

—¿Por dónde se va a la playa?

Los tranvías amarillos con letreros: Reina Victoria-Sardinero.

—Por allí, pasado Puerto Chico. Por Reina Victoria. Se ve la Horadada, ya verás.

Se quedó un momento callada.

—Mejor sol que el que tomáis en el jardín, además.

Seguíamos andando entre la gente, de compra en compra.

Si no había encargos, paseábamos por el Alta. A la derecha, pasada la embocadura de la Atalaya, estaba el cuartel. Siempre dos soldados a la puerta, cerca de las garitas.

—Están de guardia. Un teniente de guardia se durmió, y durante la noche robaron el cuartel. A la mañana siguiente, el comandante preguntó: «¿Dónde está el cadáver del oficial de guardia?» «Aquí, mi comandante.» Se pegó un tiro.

Ponía la cara de la Biblia.

—¿El comandante no le perdonó?

—No se puede, es el Ejército. Son cosas de honor. Ya se sabe al entrar.

Miraba a escape la puerta del cuartel, las bayonetas rematando el fusil de los dos soldados. Pasar de prisa aquella tapia. Olía a caballos, a pote rancio.

El camino seguía, pasaba delante de casas profundas entre profundos jardines, y a la izquierda campo, pueblo con casitas salpicadas, esparcidas, vacas en los prados.

—Aquí vive el duque de Santa Elena. Es primo del Rey.

Avenidas enarenadas, la casa al fondo. Acercábamos la cara a la verja. Olía la glicinia.

—A los dueños de esta otra casa les tocó la lotería dos veces.

Sombría, oculta entre el follaje, desconchada.

Se podía, por la calleja de Arna, bajar hasta los carmelitas. Se desparramaban enredaderas por encima de los muros. Hacíamos la visita allí.

—Tanto chico, en los salesianos, hay que atravesar el claustro, andan los chicos por medio.

Llegábamos hasta el alto de Miranda.

—¿Dónde estuvisteis? —preguntaba tía Concha—. ¿Entrasteis a visitar al Santísimo?

También íbamos hacia el otro lado, hacia la izquierda del portalón de casa.

—Vamos a la Media Luna, Julia.

Olía la tierra a campo verdad. Pasada la tapia de la finca vecina, otra casa, pero de aquel lado iba siempre mirando a la derecha —no había acera, la calzada era tierra también, pisada—, pendiente de la Media Luna. Era una plazoleta semicircular, un banco corrido de piedra en torno, dos árboles enormes sombreándola. Las hojas de los árboles tan bajas, la media luna, los campos justo detrás, rematada por el muro de piedra campesina. Sentada de espaldas al fondo. Volvía la cabeza, retorciendo el cuello. Julia dijo:

—Ciriego.

Camino cegado.

Nadie de frente, grandes silencios. Las hojas de los árboles eran tan espesas, el tronco corpulento.

Bajábamos por la calle del Monte hasta las Reparadoras. La capilla pequeña, con rejas doradas dividiendo los bancos.

—A la hora de la bendición, que entran con sus colas azules, es muy bonito.

Entraban de dos en dos, hacían una genuflexión profunda ante el Santísimo, iban hacia su sitio con el velo sobre la cara —no se les veía la cara—, todas iguales con sus hábitos blancos, arrastrando extendida la cola azul tras ellas. La recogían con una mano al meterse en los bancos, sorteando unas varas doradas con globos de cristal en forma de llama, con luz dentro. Muchas flores en torno del Santísimo, muchas velas. Una se ponía de pie. Rompía el rezo. Voces nasales, cantinela.

—¿Es aquí donde Francisca quiere entrar?

—Ahora tan delicada no podrá.

—¿No se curará nunca?

—Cuando están delicadas las mandan a sus casas.

Francisca regresó del sanatorio más gorda, más blanca, como hinchada. Se le había puesto una mirada calma, de sopor.

—Una histérica —le dijo Patrocinio a Julia—. Dice la señorita Concha: no hablar de ello, no darle importancia.

—¿Pero cómo pudo?

—Yo no me lo acabo de creer, ¿cómo se las iba a clavar ella misma? Si parece imposible. ¿Para qué?

—Para llamar la atención, dice el doctor, para que la cuidara la señora.

—¿Pero cómo hizo? Se necesita...

—Ni una palabra a ella. La señorita Concha, tan buena, dice que no se la puede abandonar.

—Pobre, qué vergüenza. ¿Sabe que lo saben? Vendrá volada. ¿Se las clavó ella?

—Julia, a lo mejor Francisca se las clavó para mortificarse el cuerpo.

—¿Qué dices? Cállate, Tadea, no digas lo que has oído, andas siempre escuchando, tía Concha no quiere que sepáis nada.

—Lo saben todos.

—¿Lo saben? ¿Se lo has contado tú?

—Ya lo sabían. Odón, Ana, Clota.

—¿Quién se lo ha dicho?

Me alcé de hombros.

—Lo saben.

—No decirle nada, pobrecita, tendrá vergüenza. Además que es una enfermedad, no lo hizo queriendo.

—Ana dijo que lo hizo queriendo.

—Bueno, pero son cosas de los nervios. ¡Atiende tan bien a la señora!

—¿Hacen mucho daño las agujas?

—Tres operaciones, tiene el brazo lleno de costurones, y creen que no han salido todas. No sabe que lo sabemos, no darle importancia.

Encontramos a Francisca en la escalera cuando subíamos a clase, después de la merienda, bajaba del tercero.

—¿Cómo estáis?

Hizo una caricia a Clota. Suzanne sonrió.

—Buenas tardes, Francisca

mientras seguíamos subiendo, con la cabeza vuelta, mirándola desaforadamente.

Volvió a salir y a entrar del cuarto de la abuela, arrastrándose sobre sus zapatillas de fieltro, pero ahora parecía más importante, con la cara más gorda, se movía al andar de otra manera, llevaba la toquilla a la abuela cuando estábamos en la biblioteca, o el agua de limón.

—Me ha enseñado el brazo —dijo Ana—. Lo tiene...

Se mordía los labios.

—¿Y a ti?

—No quiero verlo.

Me lo enseñó en el descansillo, cuando bajaba a reunirme con Julia. Llevaba las mangas de la bata morada hasta el codo, se la remangó. Tenía como escamas en los labios, pellejos blanquecinos medio desprendidos.

—¿Tú no has visto mi brazo?

Sentí el calor en las sienes.

—Mira cómo me lo pusieron.

Parches de piel lisa, tirante, más sedosa; respiré tranquila.

—¿Tienes otras dentro?

—Jesús, las que deben de andar por dentro, como angulas. Hay el peligro de que se vayan a una vena —sonreía, con la cara ancha, blanca—. Se lo ofrezco a Jesús.

—¿Te duele?

—Con la humedad, cuando va a llover, menudo barómetro. Te puedo decir si va a llover por éste.

Se tocaba el brazo.

—¿Te da repelús? Toca. Toca.

La oí cantar a la hora del reposo:

Oh, divino corazón
llagado por mi amor

Su puerta tenía encima un montante. Seguía durmiendo con la abuela, de noche, pero guardaba sus cosas en el cuarto que antes fue de Dora, a la derecha del nuestro. Había un montante encima de la puerta. Le mandaban una hora de reposo todos los días. Cuando entraba, o cuando se oía el agua en el lavabo, salía su voz por el montante:

cuando será que yo viva

La voz era de garganta, temblaba:

solamente para Vos.

Suzanne daba golpecitos sobre la mesa para que atendiéramos a la lección. Meneaba la cabeza.

—¿El Padre es el Hijo? ¿El Hijo es el Padre?

El cielo está enladrillado, ¿cuándo se desenladrillará...? Tres no seguidos, no confundir.

—¿El Padre es Dios? ¿El Hijo es Dios? ¿El Espíritu...?

Sí, padre. Sí, padre. Sí, padre. Ahora salteado.

—¿Cómo te equivocas? ¿A estas alturas?

Le dije a Ana:

—Lo hace aposta. Mezcla una con otra.

Ana se rió:

—Te tiene manía.

Y después:

—Está esperando a que vuelva tío Juan de viaje para tomarse la revancha.

Atardecer. Veía frente a mí las nubes más grises, el fondo azul marino, violeta. Negro. No: la noche, no. Que no se haga de noche. El frío que subía por las rodillas. Vacío de estómago. Sudaba. Dios mío. ¡Dios! «Todo cuanto pidiereis al Padre en mi Nombre.» ¡Que no venga la noche!

Picaban los párpados. De prisa, de una vez, como tirarse al río, meterse en la cama. Extenderse, cerrar los ojos.

¿cuántos se han echado en ella
y han amanecido muertos?

Los puños a ambos lados, apretados, agarrotados los párpados. Suzanne ya no salía, escribía bajo la tulipa verde, o se acostaba en seguida también. Una calma tirante, a oscuras, las tres en cama. Abría los ojos, me aguantaba los párpados con los dedos. Se me cerraban con dedos y todo. El sudor. Casi dormir de una vez. Casi no enterarse.

Dolor en el brazo, galopar del corazón, se iba a salir del pecho. La luz encendida.

—¿Por qué gritas de ese modo?

Un parón del corazón, en seco. Aún perforaba mis oídos mi propio grito, aún taladraba el cuarto. Volvía el corazón, atropellándose.

La iba viendo, camisón rosa, luz encendida, sacudiéndome.

Parpadeaba bajo la luz. Dañaba a los ojos.

—No he gritado.

Pero no estaba extendida, sino sentada en la cama, respirando tan de prisa, con aquellos golpes locos.

—Has gritado dormida. Ni que te estuvieran matando. A ver si te estás quieta. A ver si nos dejas dormir en paz. Has asustado a Clota.

No se sentía a Clota.

—Acuéstate.

Sobre la almohada, empapada de sudor, el camisón empapado, por detrás de las rodillas, por el pecho, por las ingles, bajo los brazos, corriéndome el sudor. El pelo por la nuca se pegaba a la almohada. Vi, al echarme, sobre el diván espeluchado, una maleta abierta.

—Cierra los ojos.

Qué descanso, sin aquella luz, tras los párpados cerrados. (Haz que no vuelva a dormirme.) Rezar despacio, despacio, para quedarse dormida sin sentir.

«Porque como Dios no tiene memoria.»

Picaban los ojos, húmeda la nariz, llena de agüilla. Mordía el embozo. Llorar sin hacer ruido, llorar sin molestar. A solas.

XXIII

La silla de Suzanne ocupada por Julia durante el estudio. Julia en el banco, en la avenida de los plátanos, sus pies no alcanzaban al suelo, quedaban en alto, dos cosas negras, un poco torcidas, en sus botas.

—Esperad, que voy a calzarme.

Se calzaba para bajar al jardín. Andaba con aquel penduleo.

—En Celorio llevo abarcas.

Pura también las usaba. En invierno, cuando había llovido mucho, Pura iba con abarcas al gallinero. Repiqueteaban sobre el asfalto del garaje.

—Tenéis que respetar a Julita, ¿qué es eso? Habláis durante la clase, estáis en las batuecas.

Se volvía a Julia:

—Date a respetar.

Julia se apretaba el índice contra el labio, sentada al borde mismo de la butaca, en la biblioteca.

—A primeros vendrá la señorita Regina, sólo durante el día, no dormirá en casa. Una señorita muy bien, venida a menos, a ver cómo os portáis con ella, me haréis el favor de respetarla.

—¿Qué haremos hoy de cuatro a cinco?

—Lo de siempre. ¿Qué hacéis siempre de cuatro a cinco?

—Pero es francés, mamá. Julita no sabe.

—Copiáis. Abrís el libro, y copiáis.

—Esta mañana también copiamos.

—Pues volvéis a copiar.

(Por la mañana nos despertó Patrocinio.

—Ale, niñas, arriba. Hay que levantarse.

Miré a la cama enfrente, con la ropa revuelta.

—¿Suzanne?

—La han llamado de su casa. Se marchó muy temprano. Os dio un beso cuando estabais dormidas.

Alcé la ventana que pesaba.

—¿Dónde vas, Tadea?

Entraba el aire fresco de las ocho de la mañana. El paisaje fresco, tranquilo, el vivo aire llenando el cuarto, pegándome el camisón.

—A vestirte en seguida. No empieces. Santiguaros.

La llavecita enganchada en un cajón del tocador. Una llavecita metida en un llavero redondo, del que colgaban otras. Las sacudí, sonaron.

—¿Os vais a lavar con la ventana abierta? ¿Cómo hacéis otras veces? Vais a enfriaros.

Dije:

—Lo hacíamos así siempre.

En la jabonera un pelo negro, crespo, largo. Lo despegué con cuidado.

—Tadea, no pierdas el tiempo. Tiene que lavarse Clota.

Tiré el pelo en el cubo.

—¿Con quién daremos la lección?

—Ya os lo dirá mamá.

Qué aire quieto, sin combinaciones azules, sin sostenes azules de perlé.

Suzanne en el banco con un ganchillo y su ovillito de perlé azul, aguantando la labor en el hueco de la mano.

—¿Qué está haciendo?

—Una cosa para que tú preguntes.

Ana guiñaba un ojo. Odón reía, mirando hacia la tierra.

Sacaba una del bolsillo y medía una cazuelita por otra, o se la colocaba sobre el traje, a un lado del pecho.

Odón partió una naranja por la mitad en el plato. Nos miraba de reojo para que le mirásemos. Cuando Suzanne apoyó la cara en las manos, con los codos sobre la mesa, mirando por la ventana abierta hacia el vestíbulo —frenar del coche, portezuela, los pasos calmosos de tío Andrés— se los metió rápidamente por debajo del jersey, a un lado y otro. Se las sostuvo con la mano, sacando el pecho.

—Se lo voy a decir a tu madre.

Un manotazo de Suzanne. Los pedazos de naranja rodaron, desinflado el jersey.

—¿De qué os reís vosotras?

Ana se reía, echándose hacia atrás.

—No te eches para atrás con la silla, puedes caerte. ¿Qué es esto? ¿Desde cuándo no obedecéis? ¿Desde cuándo se habla con la boca llena, os tiráis las pepitas? Se lo voy a decir a vuestra madre.

Ana alzaba los hombros.

—¿No te importa? Ya veremos si no te importa.

Odón, con miguitas de pan, puso sobre el mantel. ABAJO.

—¿Qué haces? ¿Por qué empujas el plato de tu hermana, qué estás poniendo?

Mezcló todas las migas.

—Podéis levantaros.

Ana y Odón continuaron sentados.

—He dicho que podéis levantaros. ¿No habéis oído?

Odón cantó, inclinado sobre la barandilla, mientras Suzanne bajaba al segundo:

—C'est pour ça qu'en sa poitrine, elle a deux petites mandarines.

—Mamá ha prohibido Valentine.

Suzanne siguió bajando, sin levantar la cabeza. Odón escupió al fondo de la escalera. Escupimos todos. Los escupitajos bajaban rápidos al fondo, fondo.

—No apuntas bien —le dijo a Clota.

—¡Niños! —Francisca asomó la cabeza hacia arriba, le cayó uno en mitad de la cara, se secó.

—¡Vaya puntería!

—¿Qué estáis haciendo? Ahora mismo...)

Callados, tirantes, mientras sentimos entrar a tío Juan. Los primos me miraron. Oscuridad en el vestíbulo, estábamos en nuestro comedor cenando, con la luz encendida.

Oímos el frenazo del coche, el golpe seco de la portezuela, los pasos firmes, vivos, de tío Juan, saltó como siempre las últimas escaleras. Bebí agua de prisa. Mirábamos al plato. Julia seguía masticando despacio, sentada en la silla de Suzanne.

—Vaya, ya llegó vuestro tío. ¿Qué contará de su viaje?

Por la noche, en la cama, antes de que se acostara Obdulia en la de Suzanne —entró después de recoger, muy tarde, en medio de la oscuridad—, pendiente del menor ruido, oí la gramola. Una vocecita en medio de muchas voces, la vocecita subía, subía, insistía, se imponía de pronto, sola, aquello que decía algo, desgarrador y limpio, larga frase para mí, para él, no sabía.

Obdulia entró a oscuras, encendió la luz de arriba.

—¿Todavía estás despierta, chiquilla?

Se quitó los horquillas del moño delante del espejo, aguantándolas en la boca. Sacudió el pelo, cerrando un poco los ojos. Dijo:

—¡Uf!

Se quitó el uniforme negro en mitad del cuarto; llevaba un sujetador de tela blanco desteñido de azul debajo de los brazos, y unas bragas blancas de la misma tela, muy cortas. Se quitó las medias negras, con la liga argollada en lo bajo de los muslos. Pasó las manos entre los dedos de los pies, primero uno, después otro. No tenía mucho pelo, y lacio. Caminó hacia la cama ancha enorme de Suzanne. De espaldas, los ojeteros del sujetador, con los cordones, los muslos amoratados como a ronchas. Apagó desde la pera que había en la mesilla.

XXIV

—¿Vino la Regina? —preguntó Odón en la biblioteca, bajando la voz.

—Estuvo esta mañana. Nos presentaron. Es una vieja.

—Tiene el pelo blanco, y es toda estirada.

—Su padre era coronel.

—Dijo: «Qué encantos. Qué encantos.» De Clota mamá dijo: «Es un angelito.» Figúrate.

Nos reímos. Clota inclinó mucho la cabeza sobre el hombro:

—Se creyó que Tadea era tan mayor como tú.

—Mentira.

—Verdad. Dijo...

—«Igual de altas», dijo. No es lo mismo, imbécil.

—Dijo: «Está hermosa.» Para que te chinches.

—Si te crees que me importa algo.

Me dijo:

—Un niño de los salesianos me ha mandado un recado por Odón, fíjate. Tiene dos años más que yo.

Odón repartía las barajas.

—Le preguntó cómo me llamaba.

—La más alta.

Nos miraba a las dos, riéndose.

—Me dijiste que preguntó cómo me llamaba yo, y que me veía por la ventana.

—Me dijo... «Muchísimas gracias.»

Jugábamos a las familias.

—Mamá está escuchando.
—El padre zapatero.
—Muchísimas gracias.
—El hijo zapatero.
—No lo tengo.
Ana cogió el turno.
—...la más alta, con el pelo rubio.
—Dijiste «tu hermana».
—No la tengo.
—Tonta, no hablamos de ésa.
—¿Por qué tenéis que discutir para jugar? Tadea, ya está Julia, vete a dar un paseo.
Al pasar ante la puerta de los salesianos apreté el paso, tiré de Julia.
—Tadea, que me sofocas, que no puedo correr tanto.
Sonrió.
—No tengo tus piernas.
Me volví a esperarla.
—Aunque te estás quedando desconocida, con esa cara flaca. Pareces una zancuda. ¿Te cansan los paseos?
Sacudí la cabeza.
—Dice Obdulia que no duermes nada, que estás siempre despierta cuando ella se acuesta, que gritas por la noche.
—No grito. ¿Ella qué sabe? Ronca.
Julia se rió. Repetí:
—Ronca. Parece un tren.
Íbamos por el Alta, pasado el cuartel, el campo a la izquierda. Había al fondo unas nubes rosadas, encendidas. Andábamos sobre la calzada de tierra color arena, a nuestro lado los muros de las casas, las lilas volcadas sobre los muros, las verjas. Altos de la ciudad, ancho camino solitario. Un vivo airecillo levantaba tierra, sacudía las hojas de los árboles recostados contra la cerca de los prados, sacudía los racimos de lilas, los desgajaba sobre la tierra, se mezclaba a su fragancia. En los prados estaban las vacas, blancas y negras, con las ubres rosadas repletas colgantes. Volvían la testuz hacia nosotras, o rumiaban, cabeza gacha. Más allá de las vacas, más allá de los prados, había

mar, de cierto. Una seguridad de ancho espacio, de grandeza, de bravío rompiente. El cielo allí se enrojecía tanto. Quizás era mar aquel color profundo revuelto con el airecillo que nos llegaba en oleadas, quizá mar el que las hojas de los árboles, la corteza de los troncos, las enredaderas, fuesen verde salitrosas blanquecinas.

—Ruge Cabo Mayor

dijo Julia. El vientecillo le daba en la cara, tenía su aire de Sinai, vuelta hacia el fondo.

—¿No oyes? Hay muchos remolinos en Cabo Mayor, al lado del faro.

—¿No se puede ir?

—Se puede, está muy lejos, hay que andar y andar para llegar allí. Un día que nos pongamos calzado cómodo. Algún día. Ya verás.

Veíamos el alto de Miranda cuando dimos la vuelta. El viento nos empujaba por la espalda, camino de casa. No era fuerte viento, sino fresco, ya no se veía el cielo rosado en bandas estriadas, sino gris muy transparente.

«¿Dónde está el cadáver del oficial de guardia?» Había que dejarse matar. Cogió el revólver. (Atenta contra su salud, pone en peligro su vida, o se la quita.) Pero Julia ponía, para contarlo, su cara de cuando estábamos en su cuarto y decía:

—Oráculo de David, oráculo del hombre puesto en lo alto.

Sonaba la corneta dentro del cuartel.

—Espera un poco. Vas a ver arriar la bandera. La arrían a la caída de la tarde.

Los dos soldados ante sus garitas podían vernos, pero no nos miraban. Se pusieron rígidos, presentando sus fusiles bayonetas a la altura del pecho. No se movían. La bandera se deslizaba, rápida, por el cordel abajo, en un mástil, en el centro del patio de entrada. Junto a ella un soldadito tocaba la corneta, apoyada en sus labios, con los carrillos hinchados. La apartó. Los soldados reanudaron su paseo de una garita a otra. Se cruzaban sin hablarse.

Cuando Julia, ya en el portón de casa, tiraba del agarrador que agitaba la campana, me descolgaba de su brazo.

Nos quedábamos lado a lado, quietas, delante de la alta pesada puerta que iba a abrirse. Entrábamos caminando separadas sobre el guijo blanco, hacia la puerta del sótano.

Francisca estaba en el sótano, quitándose la mantilla.

—Te están esperando. Corre. Ha venido don Magín. ¿Llevas el velo?

Julia resollaba.

—La tía quiere que aproveches para confesar.

Julia lo sacó de su bolso negro, me lo dio. Por el pasillo, ante el banco de cuero color vino donde esperábamos nuestro turno del baño, hasta el comedor. Habían puesto sillas alineadas delante de la puerta cerrada del oratorio. Tía Concha, Ana, Odón y Patrocinio de rodillas, apoyados sobre los respaldos. Ana tenía la cara inclinada sobre las manos. Tía Concha me hizo señas para que fuera a su lado.

—Prepárate, te toca a ti en seguida, está acabando Clota. ¿Cómo tardasteis tanto? Reza el Yo pecador.

Me cogió por el brazo, me puse de rodillas en el suelo, junto a ella. Se inclinaba hacia mí, me rozaban la mejilla las ondas negras de su velo.

—¿Tienes el examen? Después de tantos días, ¿lo tienes?

—Sí.

Por mi culpa, por mi culpa, por mi grandísima culpa. Se entreabrió la puerta de rombos rojoazuloscuro. Clota salía.

—Vamos —dijo tía Concha.

Me empujó un poco. Si no me mirasen... Entré. Cerré la puerta con cuidado. La capilla en penumbra. Oí el carraspeo de don Magín. Me dirigí hacia allá, a la izquierda el confesonario plegable abierto, distinguí a don Magín sentado en una silla del comedor, me arrodillé del otro lado con la verja de madera entre los dos. Tenía que estirar las manos para llegar bien a la tarima, a media altura, alzar mucho la cabeza. Entre los cuadraditos de madera rebrilló el cristal de una gafa, o el ojo de cristal. Ojo en triángulo isósceles, Diospadre, Dioseterno. El que está detrás no es don Magín, camino de su aldea, es Dios. Es

Dios. Nunca más se acordará. (Porque como Dios no tiene memoria.)

—¿Es tu primera confesión?

—Sí, padre.

Pendiente de llegar a la tarima para no alzar la voz. ¿Se oía desde el comedor?

Don Magín preguntaba, con baja voz ronca. Decía:

—Bueno. Bueno. Bueno.

El rebrillar del cristal según como moviera la cabeza. La lamparilla azul en el vagón del tren. No parecía el mismo. Iba distinguiendo cada vez con mayor claridad, el altar, el bulto de don Magín, le asomaba por fuera del confesonario parte de la sotana, sentado como estaba.

—Bueno, bueno, hijita.

Ya no tenía frío. Me fastidiaba salir, que me mirasen. Pegué la cara a la rejilla para ver la mano derecha hacia arriba, de perfil, mientras él rezaba confusamente.

—Vete en paz.

Tía Concha me dijo:

—¿Rezas la penitencia? Tienes la mantilla torcida.

La penitencia... La había olvidado, pendiente de ver la absolución. Por nada del mundo confesarlo, por nada volver. ¿Serviría la confesión? Rezaría mucho más, mucho, mucho, más que cualquier penitencia.

—¿Estás rezando la penitencia?

Levanté la cara.

—Se me ha olvidado.

El respingo de tía Concha.

—Vuelve ahora mismo. Pregúntale a don Magín.

Pero don Magín abría en esos momentos la puerta de cristales. Tía Concha se acercó, cuchichearon. Don Magín me miró levemente, sonriendo. Tía Concha vino, se inclinó hacia mí.

—Tres Avemarías. ¿No te da vergüenza? ¿Qué estarías pensando?

Todos me miraban. Tía Concha acompañó a don Magín fuera del comedor. Le dije a Ana en baja voz:

—¿Cómo hará para dormir con un párpado tieso?

Ocultó la risa entre las manos. Me dijo, ladeando la cabeza y hablándome desde el hueco de sus manos:

—Qué mala eres, no te sirve la confesión.

—¿Qué dices?

Odón empujaba con el codo.

—No distraigáis a vuestra prima, se acaba de confesar. Qué a gusto te habrás quedado. Ahora a no hacer ninguna falta. ¿Estás contenta?

El baño. (Il ne faut pas se regarder.) (¿Te has mirado las partes feas?)

Los ojos de Ana, al subir la escalera.

—Tienes que reconciliarte, no te sirve, díselo a mamá.

Oh, Señor, no permitáis que yo sea uno de ellos.

Aquel sudor incontenible. Me tapé con la sábana. Me refugié en la sábana.

que me vaya al otro mundo —sin los Santos Sacramentos.

Se me secaba la garganta, se me adentraba la oscuridad.

No cerrar los ojos. Taparse hasta que suba Obdulia.

—Vamos a ver, ¿qué le pasa a esta niña?

La luz encendida, tía Concha en el cuarto. ¿Cuándo? ¿Cómo?

—Saca la lengua. ¿Por qué llorabas así?

Sorbí, aún sacudida por sollozos llegándome desde el sueño.

—Esto no puede continuar así. ¿Te duele algo?

Obdulia al pie de mi cama, con la bata desabrochada, el pelo suelto.

—Lloraba que partía el pecho.

—Mañana la verá don Miguel, cuando venga a visitar a la señora. Usted se acuesta ahora, Obdulia. Tadea va a dormir.

Cerrar los ojos. Dios mío. Dios mío. Tadea va a dormir. Los ojos cerrados. No pasará nada esta noche, ya verás, no pasará nada.

Luz dulce viva en la penumbra, luz del día filtrándose por las rendijas de las ventanas. Fui viendo la cama donde dormía Obdulia, con la ropa revuelta, me di cuenta de que Clota no estaba. Me estiré entre las sábanas, qué buenas las sábanas por la mañana.

—¿Estás mala?

La cara curiosa de Clota. Patrocinio venía tras ella.

—A coger los cuadernos y el libro, te están esperando. Tú no te levantes.

—Qué suertuda.

—Órdenes de tu tía. Te quedas en la cama hasta que ella diga.

—Te va a ver el médico.

Recogía los cuadernos sobre la mesa.

—¿Dónde vas?

—Estudiar en la biblioteca.

Cerré los ojos. Luz entrando por todas las rendijas de los ventanales —los gestos de Clota buscando a tientas sobre la mesa, como si no viese nada—, rayos como dedos atravesando el aire, polvillo de colores, bailarín. No paraba quieto. Había un rayo de aquéllos delante de mi cama en dirección al espejo. Venía de la ventana a la izquierda. Las sillas vacías en torno a la mesa de estudio, el diván enfrente. Volví la cabeza hacia el tocador: las llavecitas colgando.

Me despertó la luz sobre los ojos.

—Habrá que abrir la ventana.

Tía Concha abriendo la contraventana del centro.

—Así es suficiente —dijo don Miguel.

—Mire usted qué ojos se ha puesto.

Me dolía el borde de los ojos.

—Trae el pulso.

Alto, cargado de hombros, con el pelo que caneaba. Se sentó en una silla junto a mi cama. Me buscó el pulso.

—Llora por las noches...

Sentí que me ponía colorada.

—La almohada mojada —en bajo tía Concha, como si yo fuera sorda.

Yo no lloraba. ¿Cuándo lloraba yo? Yo soy fuerte, no suelto una lágrima, aunque me pinchen, aunque me maten, ya no lloro.

—...grita, les tiene en vilo en medio de la noche.

Don Miguel me soltó el pulso, me dio unos golpecitos en los brazos.

—¿Por qué lloras, eh, vamos a ver?

Sacudí la cabeza.

—Si no lloro.

—Di la verdad. El médico es como un confesor. Hay que decirle todo.

—Déjeme, entiendo muy bien a los niños. Somos muy buenos amigos los niños y yo.

—Es que sudo.

Don Miguel se echó a reír.

—¿Sudas por los ojos?

La luz cruda, tía Concha, don Miguel.

—Ya ve usted, es así, no le sacará nada, es una terca. Y eso que se ha confesado ayer.

—Entonces va a ser muy buena, estoy seguro, ¿verdad? ¿Vas a contestar a lo que te pregunte?

Sacaba de una caja negra aplastada el estetoscopio. Se metió una clavija en la oreja.

—Ábrete —dijo.

Abrí los botones del camisón de tela blanca. Me reí.

—¿Está frío?

Lo separó, le echó el aliento. Se puso de pie, inclinado sobre mí, tan grande, no veía a tía Concha. Iba cambiando el aparato de sitio. Escuchaba con los ojos cerrados. Le salían tufos de pelo por las ventanas de la nariz.

—Date la vuelta, súbete el camisón. Respira hondo cuando yo te diga.

Tía Concha me aguantaba el camisón por detrás, en el cuello.

—Hasta que yo te diga.

Se enderezó.

—Aquí no hay nada. A ver ese vientre.

Las manos estrujándome.

—¿Te duele? ¿Ahí, te duele?

—Di si te duele, Tadea. Tiene que saber.

—Cuando toco, aquí...

—Es que aprieta —dije.

Julia había entrado, silenciosa, apoyaba las manos cruzadas al pie de la cama. Sonreía, llevándose el índice doblado a la boca.

—¿Comes con gusto?

—Contesta a don Miguel. Es así siempre, nunca dice la verdad.

—Da gusto verla comer —dijo Julia.

¿Con gusto o no? Comía lo que me ponían en el plato. (La huerta, en los días de sur, agachándome por la fruta caída, sacudiendo los árboles, mordiendo con aquella avidez de la boca.)

Don Miguel me tapó con las sábanas. Me dio otro golpecito sobre el brazo.

—Ya verás, te vamos a poner buena. ¿Sabes que yo era muy amigo de tu mamá? ¿Que también la veía?

Dijo a tía Concha mientras pasaban la puerta:

—algo inflamado el apéndice.

Miré a Julia. Me revolví en la cama. Me eché a reír. Dije:

—Ven.

Julia se acercó con los labios fruncidos. Me dio un beso en la cara. Los ojuelos inquietos.

—Si ya decía yo que no andabas buena.

—Pero si no estoy mala. Tengo ganas de levantarme.

—Eso es bueno —rió.

Se sentó en el borde de la silla en donde había estado el médico.

—¿Quieres dormir ahora un poco, quieres que te entorne?

Hablaba mientras iba con sus pasos desiguales a la ventana abierta.

—No. Me quiero estar así.

—Dice Obdulia que no pegaste ojo. Tu tía te oyo desde el corredor de abajo.

—Pues no estoy cansada. No cierres.

En la penumbra, la voz de Julia, pesaban los párpados, se entumecían los brazos, las piernas.

—Conque no tienes sueño, ¿es? —la risa contenida—, te pican los ojos, como a los niños chicos.

Hablaba bajo, silbante. Las palabras se posaban. Un

mundo bajo el agua, bajo la luz, un mundo quieto, flotante.

—Me gustaría siempre dormir de día —mi voz pastosa, costaba un esfuerzo—. ¿Por qué no se puede?

La mano de Julia en mi brazo, tenue, de la mano al codo.

—¿Mimitos?

Separé el brazo de un tirón. Escondí la cara en la almohada.

—¿O es que tienes miedo?

La voz muy cerca, casi aliento. Voz de cuando estábamos en su cuarto. («Pero tú no necesitas caridad conmigo, ¿verdad, Tadea? ¿Tú me quieres?»)

—¿Tienes miedo?

No moví la cabeza.

—¿A qué tienes miedo? ¿No quieres dormir sola? Pero si sois tres dentro del cuarto. ¿Qué puede pasar? ¿A qué tienes miedo?

Su mano sin tocarme, apoyada en la almohada. Sentí la depresión de la almohada, marcada por su mano, un surco blando bajo la mejilla.

—No hay que tenerlo, niña, nunca. Nunca.

Lo dijo como cuando decía: «Pido que me lleve a tiempo», como se pide lo que se quiere, lo que no se tiene.

—No hay que tener miedo —todo bajo, junto a mi oído—. ¿Qué puede pasarte? Dios está contigo.

Apartó la mano. La voz se hizo más cercana, menos para mí:

—...a todas horas, aunque creas que estás sola, aunque haga de noche, con sol y con sombra, aunque estés dormida...

Las palabras como olas alcanzándome, rompiéndose dentro:

—...aunque no Le veas.

Me destapé la cara. De tanto tener los ojos tapados veía estrellitas azulesdoradas, al fondo, entre Julia.

—Nunca estás sola del todo, métete bien eso en la cabeza, niña. Él lo ve...

—Julia...

—¿Qué?

—Tengo miedo de Dios.

—¿Qué dices?

Se había puesto de pie.

—¿Qué estás diciendo?

Me dormí de un tirón. Cuando me desperté, Julia no estaba.

XXV

(Santísima Madre de Dios y Madre mía.) No olvidar la consagración.

—¿Estás distraída? Reza.

El libro abierto, forrado de blanco, cogerle con cuidado para no mancharle con los dedos. A la izquierda de la capilla, en el reclinatorio, entre la abuela y tía Concha, a ratos veía la cara redonda morena de Clota asomándose, mirándome. Llevaba argollado en mi muñeca el rosario de nácar.

(Lo tuvo tu madre entre sus manos. A ver si te haces digna de él.

Patrocinio murmuró, tapándose la boca con la mano:

—Lo tuvo de muerta, en la caja.)

El libro, regalo de tía Concha. Lo había forrado de blanco Patrocinio. Odón se inclinaba en el confiteor. Volvió a enderezarse, los hombros estrechos, embutido en el jersey blanco de punto de trenza, lo estrenaba, se lo había hecho su madre. Medias de sport del mismo punto, se las subía disimuladamente porque se le aflojaba la goma. Tía Concha carraspeó para que se volviera, le indicó que dejara de tocárselas. Por detrás, tenía un remolino en el pelo castaño.

(—Odón, ¿te has lavado los dientes? Mira que conseguir que este chico se lave...)

—Et clamor meus ad te véniat.

La voz desafinada.

(Y te ofrezco —mi pureza.) Busqué en la faltriquera blanca el lápiz de Julia. Lo toqué.

que si busco consuelo en esta vida

Abiertas las puertas del comedor. Estarían tío Andrés, tío Juan, las muchachas, la nueva señorita. Pura, la vi en el antecomedor, adelantando la cabeza

me hiera el corazón con sus abrojos

Don Luciano leía el evangelio, con las manos abiertas. La abuela, sentada.

(—Toma, niña.

Me besó con muchísimo cuidado, apartando el velo para no descomponerme, con su cara sofocada, a parchones, metiéndome algo en la mano. Me cerró los dedos encima.

—No lo mires ahora. Luego, después de comulgar. No lo enseñes a los demás.

—Julia...

—No digas que te lo he dado.

—¿Por qué has gastado? ¿Tú?

Se rió. Se llevó mi mano a la boca y la besó.

Guárdalo. Que no te lo vean.

Le quité el papel dentro de la faltriquera. Lo miré por la rendija de la abertura: un lápiz con funda dorada, estriada, con caperuza dorada también, delgado, brillante. Venía enrollado en algo duro, una estampa. La aparté, para mirar el lápiz. Me importaba el lápiz.

—¿Qué te ha dado? —me dijo Ana.

—Recogimiento, no distraigáis a vuestra prima.

Íbamos hacia la capilla. Las muchachas se asomaron a mirarme, bajaba por la escalera grande.

—Dios, qué guapa.

La cara de guasa de Tomasa; a su lado, Pura, con un velo negro tupido, sus guedejas blancas.

—El traje de boda de su madre —dijo Patrocinio a media voz—. Si pudiera verla...

Aquella inmensa dulzura dentro. Como si el mundo entero fuese amigo.

(—Pero, mamá, un traje de seda para una niña, estará ridícula.

La abuela como una mole quieta, igual que si no oyese.

Se cortó mi traje de aquel traje tan largo, tan grande.

—Está todo pasado, al menor movimiento...

de seda blancooscuro, con tiras de encaje de trecho en trecho.

—Valenciennes para una niña. En fin...

Tía Concha levantaba las cejas, mirándome, apretados los labios.

—Cosas de la señora —dijo en el cuarto de costura durante la prueba.

—Pobre, la quería tanto —dijo Patrocinio—. Era su chifladura.

Tía Concha apretó los labios, derechísima, los ojos se le agrandaron.

—También a usted la quería muchísimo —se apresuró a decir—. Y no digamos al señorito. Ve por él.

—No te he preguntado nada, Patrocinio.)

me hiera el corazón con sus abrojos

Los ojos claros fijos de la abuela, la labor de los pobres posada sobre sus piernas. Las manos anchas, cortas, más que blancas, incoloras, con las venas abultadas como caminitos.

—¿Te parece bien así, mamá? Date la vuelta. ¿No hubiera sido mejor arreglarle el traje de Ana?

La abuela dijo:

—Está bien.

Patrocinio presente en la prueba, acompañando a Isaura, la modista de blanco.

—Pensar, la señorita Raquel, con qué ilusión, ¿se acuerda?

Apenas una sonrisa sobre la cara.

—Si ella pudiese verla, señora.

—La verá, Patrocinio —dijo tía Concha—. Desde el cielo. Tadea, recoge los hilos que quedan en la alfombra.)

No permitas que alguna criatura me deje consolada.

Me apretaba la goma del velo tanto en la frente.

—No te lo eches atrás. Déjalo como te lo he puesto.

El rosario enrollado, el libro en la mano. Andar con cuidado de no pisarse.

—Si la viera su padre —dijo Julia.

—Eso, vale más no tocarlo. Un día como hoy, y...

Vale más no tocarlo. Bajé la escalera grande pendiente de no pisarme. Pura dijo:

—Qué guapa, Tadea.

Y:

—Pobre niña.

Si el camino se terminase de una vez... El comedor sin nadie cuando pasé hacia la capilla, con las sillas en ringlera delante de la puerta. La pared detrás de mí, bendita pared. De perfil el altar. No mirar a la abuela. ¿Y Julia? Sus pasos irregulares hacia el otro lado, donde siempre. Volví un poco la cabeza. Metí la mano en la faltriquera.

—¿Qué buscas?

—El pañuelo.

Con agua bendita, con un acto de contrición... Recé el Señor mío Jesucristo.

Abrí el libro:

Me llegaré al altar de Dios,
al Dios que llena de alegría mi juventud.

Odón buscó una silla para sentarse. Don Luciano se volvió de cara a nosotros, la casulla le respingaba por delante. Todos se sentaron.

—Tú quédate de rodillas mientras habla. Atiende.

...tu buen padre que no ha podido acudir en un día tan grande, retenido por sus obligaciones, tu santa madre desde el cielo, contemplando este instante, pide mucho hoy por ella, cuando esté dentro de tu pecho; buenísima abuelita, que te ha recogido como una segunda madre, tíos tan buenos, tía Concha que te educa como a una hija.

De rodillas, clavada. Sentía vacío, hambre. Las palabras me daban vueltas. (Luego tendría que ponerme de pie delante de todos, recitar.) Vacío de estómago, roencia, como decía Julia, algo roía dentro. Me rutaron las tripas. Un rumor enorme, tenían que haberlo oído. Me puse colorada. No me atreví a mirar a tía Concha. Yo sola, arrodillada; yo sola, en primera fila. El sudorcillo en las sienes, junto al pelo, donde apretaba la goma. Llevé un dedo para aflojarlo, para meterlo por debajo.

—Estate quieta.

—...vas a recibir al Niño Jesús, está aquí como estaba por las calles de Nazareth, deseoso de colmarte... cordero... día más feliz de tu vida.

Día gris por la ventana, luz gris. Cuánto hablaba.

...en este mes de abril, cercano mayo, cuando florecen las flores, tu alma...

El zumbido insistente de las palabras.

en el largo camino de tu vida... para ver a tu madre...

Vacío de estómago, garganta seca, lengua seca. No marearme. No voy a poder pasarla. Día más feliz. Niño Jesús. Siempre te conserve. El ruido de la silla de Odón acudiendo al altar. La campanilla. La Forma redonda en alto.

Corpus Dómini nostri

Delante de mí, abrí la boca instintivamente, comulgué. De prisa la cara entre las manos. Apoyé los codos sobre el reclinatorio. La cabeza. Miedo a marearme, sudor, aquel vacío. La oscuridad de mis manos, el sudor pegajoso de mis manos. Está dentro de mí. Dentro. Dentro. ¿Me estaría mirando tía Concha? Siento una roencia. Julia. «Te pido por Julia.» Tras la tibieza y la sombra de mis manos empalmadas, sopor, debilidad. Un empujoncito en el codo. La voz de tía Concha a mi oído:

—¿Has pedido por tu madre? La consagración, Tadea.

Aquel sudorcillo rápido, frío.

—Empieza.

Me puse de pie.

—Santísima Madre de Dios y Madre mía...

La túnica marrón de la Virgen, mirando al Hijo. Una palabra traía otra, tiraba de otra. Me salió sin darme cuenta.

La abuela cuchicheó:

—Concha, se ha hecho tarde, tendrá debilidad.

—Faltan las promesas.

—Se ha hecho tarde.

Tía Concha se levantó, dio un recado a Odón, inclinándose sobre su oreja. Odón se lo transmitió a don Luciano.

Éste se volvió y dijo en alto, como si no estuviésemos en misa.

—Si eso no lleva tiempo. Acércate.

Vuelto hacia mí, en el centro del altar, con el misal abierto de par en par. Tía Concha me llevó la mano al misal. Las primas se habían levantado y miraban de cerca.

—Renuncio a Satanás, a sus pompas, y a sus glorias...

—Casi no se te oía.

—A desayunar.

Me besaron a la salida de la capilla. Clota me cogió de la mano. Entraban en el comedor Francisca y Obdulia con el chocolate. Se me olvidó el mareo.

Julia también en la mesa grande, casi frente a mí, sentada entre la abuela y don Luciano.

—Lo dijo muy bien.

—Tropezó un poco —dijo Ana, con la boca llena—. En «Me hiera el corazón con sus abrojos».

Tío Juan mojando los churros en el chocolate, los comía en dos bocados, tío Andrés con parsimonia.

—¿Has visto el periódico de hoy?

—No iréis a hablar de política, supongo —dijo tía Concha, señalándonos.

—Habrá que llevarla a que la retraten, para enviárselo a su padre.

—Sí, mamá. Mañana la acompañará la señorita.

—Puso un telegrama para la niña.

Delante de mi vaso, el papel azul.

—Ya —tía Concha miró a tío Andrés, sacudiendo la cabeza—. Un telegrama, el día en que su hija comulga.

—Don Gabriel es don Gabriel —dijo don Luciano, sonriéndose—. Hay que conocerle.

—Ya. Ya.

—Andará ahora con la cebada.

Tía Concha se estremeció, miró a la abuela. Dijo:

—Podéis levantaros, la abuela os da permiso. Podéis jugar en la terraza, hoy, no se manche el traje de tierra. ¿Tendrás cuidado? Antes, reparte los recordatorios.

Repartí recordatorios en torno de la mesa, en la cocina, las primas me acompañaron. Había repartido perdones la víspera. Fui de sitio en sitio pidiendo perdón a todos, hasta a casa de Venancio. También ahora fuimos a casa de Venancio.

—Cuidado con el guijo. Recógete el vestido.

Tomasa dijo:

—Está bien hecha.

Venancio me vio llegar. Era domingo, tenía el traje bueno, trabajaba con algo de madera en la prensa, en el garaje por donde se entraba a su casa. Estaba el coche dentro.

—Dáselo —dijo Ana.

—No —me defendí—. A Pura.

No quería ver los ojos burlones de Venancio.

—Qué estampa más guapa. Lo hiciste muy bien —dijo Pura.

Se había puesto su bata y su delantalón. Trajinaba en la cocina. Oímos arriba, encima, los pasos de Millán. Pura guardó de prisa la estampa, en el bolsillo del delantalón negro.

—Dame un beso, guapa.

—¿Quieres poner el dedo?
preguntó Venancio señalándome el torniquete de la prensa.

—Se mancha —dijo Ana—. No puede mancharse.

Seguían en el comedor.

—...la república.

—No quiero oír esa palabra en esta casa.

—Por Dios, Concha, no hay quien hable —tío Juan estaba muy colorado.

Tía Concha dijo:

—Cuidado. Los niños...

Un silencio pesante mientras cruzábamos el comedor. Nos dimos prisa, hacia la terraza.

—Va a haber hule —dijo Odón.

—¿Por qué pelean?

—No pelean. Mamá no pelea, sólo que no le gustan los herejes. Tío Juan tiene la manga ancha.

Me quité el velo.

—Te ha dejado la frente toda señalada, Tadea. Toda, toda señalada.

Puse el velo con cuidado sobre la barandilla.

—Qué cursi tu traje —dijo Ana.

—Era el de tu mamá. ¿No era el de tu mamá? Para aprovecharlo.

Clota me tocaba la falda. Ana sonreía, en torno mío.

—Pareces una paisana.

Parada, con todo aquello golpeándome.

—Mamá dice que de seda sólo van las paisanas.

—Mejor.

—¿Qué fue lo que Julia te regaló?

Aguanté su mirada. Dije:

—Un lápiz de oro.

Hubo un silencio total. Después:

—¿Un lápiz de oro? No te creo. A ver.

—Enseña.

Apreté la faltriquera con la mano.

—Que me arrugas.

—¡Enseña!

Odón, por la izquierda, había metido dos dedos y sacó el lápiz. Se echó a reír, con el lápiz en alto:

—Inocente. ¡De oro! Valen a quince céntimos.

—Semejante caca.

—Dámelo.

—Es un lápiz Faber, los hay a porradas en el colegio.

Le pegué para que me lo diera, le golpeé en la cabeza gacha.

—Te lo puedes guardar hasta que se te pudra. Menuda porquería.

—Ya me figuraba yo...

Ana se llevó la mano, retorciéndola, al estómago.

—Una roencia, y una tristura.

Clota, reía, reía, mirando a su hermana.

—Siento una roencia —decía Ana, metiendo la barbilla para atrás, hundiéndosela en el cuello, con la mano torcida.

—¡Ay, ay!, que me hago pis —decía Clota aguantándose con las piernas juntas, contra la barandilla.

Ana se quitó un zapato sin agacharse siquiera. Empezó a andar imitando los andares de Julia.

—Una tristura...

Me tiré contra ella. De prisa, golpearla. Con toda mi fuerza, rodamos al suelo. La daba, la daba.

—¡Venga! Una, dos tres... —contaba Odón.

Ana se defendía mordiendo, arañando, había caído debajo. La sacudí, la golpeé con furia, explotaba, como si me saliese de mí, como si pegar me aliviase. Pegar, destrozar, herir, devolver la herida, cegar la herida.

—¡Oye, tú! Oye... ¡Chiquillas!

La voz de Venancio desde algún lado. No importaba. Batir la puerta de la terraza. Sólo Ana. Nos enganchábamos de los pelos, sacudiéndonos las cabezas.

—¡Dale fuerte, Tadea! Quince, dieciséis...

—¿Qué le pasa a esta rabiosa?

—Cuidado, Venancio, que le suelta una patada.

—Carajo con la cría.

Las palabras llegaban como cintarazos, me revolvía.

—Tal para cual —jadeó Ana—. Mamá lo dice: Tal...

Le cerré la boca con las dos manos, la apreté.

—Qué bruta, que la ahoga.

—¡Venga! ¡Basta de juegos!

Los brazos duros, fuertes de Venancio, cuantísima fuerza, me apartaron como si no pesara nada.

—No patees, o...

—Dios mío, ¿este escándalo?

Tía Concha en la puerta, llevándose la mano a la cara.

—Qué es esto, Venancio, ¿qué ha pasado?

—Es que...

—No te pregunto a ti, Odón, sube con tu padre. Unas niñas...

Venancio me sujetaba aún por los codos.

—Se han puesto buenas. Se habían agarrado a puños.

—Con el traje de la comunión...

Venancio me soltó.

—Dejada de la mano de Dios. En un día como éste.

Ana, a mi lado, también jadeaba.

—Lava esos labios, te están sangrando —le dijo Venancio.

—No es nada.

—¿Cómo empezó?

—No sé. Cuando las vi desde abajo estaban ya enganchadas, llevaban rato sacudiéndose. Ahora se queda tranquila para un rato.

Respiraba aún de prisa, fuerte.

—Se me tiró sin más ni más. Se empeñó en que el lápiz de Julia era de oro. Porque le dijimos que no, que era de quince céntimos...

—¡Soberbia!

Las orejas calientes, la respiración calmándose.

—se puso como loca.

Los brazos colgantes a los lados, sentí bajo los dedos el traje desgarrado, a tiras.

—Sube a que te vea la abuela. El traje...

Al pasar, en su comedor estaba Julia, con el ceño fruncido.

—¿Te parece bonito, semejante escándalo? Nunca lo hubiera creído. Que haya tenido que intervenir un hombre.

La miraba, la miraba.

—No puedo defenderte, Tadea. En un día como éste, este disgusto. Dejada de la mano de...

Media vuelta. Empecé a subir la escalera. Sabía la boca amarga, como cuando chupaba la corteza del boj. Fue la primera vez que aquella amargura subió del corazón a la boca, no por la boca adentro.

La abuela estaba de pie ante el secreter, alto, recto, que se le bajaba la tapa.

—¿Cómo te has puesto así?

Junto a su tocador, derecha, sin atreverme a avanzar, ni a mirarme de reojo en el espejo. Mirar por la puerta-ventana hacia la galería. Mirar la mesa enfrente.

—Ese traje.

—No dijo: El traje de tu madre. Fue como si lo hubiese dicho.

A través de las ventanas de la galería el alto muro del colegio, más abajo la hierba entre los árboles, una hierba muy verde.

—Ven acá, siéntate en esa silla.

Me senté en una silla, cerca del secreter. La puntera de los zapatos blancos tan sucia. Levanté los ojos. Ella fue del secreter al armario de luna, con mucha ropa apilada dentro, la vi por la puerta entreabierta. No hablábamos. No hablábamos. Iba y venía por el cuarto, se pasó el peine por encima del pelo, abrió un cajón del tocador, sacó un frasco de perfume, se acercó el tapón a la oreja, al cuello.

—¿No volverás a hacerlo más? ¿Serás buena, Tadea?

Lo preguntaba sin esperar contestación, sin mirarme a la cara, de espaldas a mí.

—¿Es verdad que gritaste que te querías ir, que no querías vivir más en esta casa? ¿Es verdad? ¿Te quieres ir?

No parecía enfadada.

—¿Serías capaz de irte?

Vi sus ojos en el espejo, mirándome.

—Acércate.

Se volvió. Me estrujó un hombro con la mano. Sus ojos azules, transparentes, lo negro agrandándoseles.

—¿de fugarte de esta casa?

Parecía que algo la sofocaba. Me miraba, me miraba. (Huyendo por el pasillo, de espaldas, del brazo de Francisca, la tormenta.) La tensión. Dije:

—No, abuela.

«Esta casa», de pronto, fue ella. Ella nada más.

Soltó mi hombro. Se inclinó un poco, me preguntó:

—¿Pediste por mí, Tadea? ¿Te acordaste de pedir por mí?

Los ojos azules, transparentes, claros.

—¿No?

Dejó de mirarme. Me apartó, fue hacia la mesilla. Dijo:

—Quítate ese vestido. Sube arriba con Julia, no andes con tus primos. ¿Qué haces ahí? ¿No me has oído?

Se volvió.

—Puedes marcharte.

Largo corredor hasta la escalera. Peldaño a peldaño.

Julia sentada, leyendo con la lupa, la cabeza inclinada.

—Vaya.

Sonrió.

—¿Ya te quitaste el traje?

Dije, con rabia:

—Estoy castigada a estar contigo.

—¿Es mucho castigo?

La sonrisa tranquila remangándole el labio. Me tendió la mano, me estreché contra ella, hundida en su regazo. Injusta, injusta Julia.

—Julia, antes...

—¿Qué fue lo de antes?

Su mano alisando mi pelo.

—Nada —dije, escondiéndome contra ella otra vez.

—¿No me lo quieres decir?

No se lo podía explicar. Ya no amargaba.

XXVI

Colocaron los muebles en la terraza, las butacas de recto respaldo de mimbre negro, con patas de bambú, la mesa de mimbre, los almohadones anaranjados, verdes. El país-ardiendo volcaba sus menudas rosas rojísimas sobre la barandilla de madera, enroscado a las delgadas columnas, de trecho en trecho. La terraza en escuadra se prolongaba por detrás, ante las salas. Era una parte más sombría, con los árboles del bosquecillo enfrente, donde había cicuta —soplábamos sobre las flores en sombrilla, mariposas blancas volanderas— y bolitas anaranjadas, que se aplastaban entre los dedos —dejaban una agüilla ácida, corrosiva— y altas vainas verdes, que arrancábamos con fuerza. Odón nos enseñó a cortarlas por la parte más gruesa, se separaban un poco, hilachadas verdes, servían de silbato.

—Las niñas no silban. La Virgen llora.

Aquellas cañitas verdes, tiernas, que se apretaban y soltaban una lechecilla ácida sobre el dedo.

Las bolitas anaranjadas formaban espesas matas rastreras.

—No andéis por ahí, que habrá culebras.

La hermosísima comida de las culebras, fruto menudo, anaranjado de color, duro. Por las ventanas altas, abiertas, del colegio, se veía a algún chico sobre el pupitre. Ver sin mirar. Se veían también desde la parte trasera de la terraza, donde sólo se instalan cuando hacía demasiado calor. Íbamos para saludar a las visitas. La señorita nos acompañaba, se quedaba de pie, algo apartada o bajaba detrás de nosotras a los plátanos. Emprendíamos la carrera.

—Corre, corre, déjala detrás.

No parábamos hasta llegar a los plátanos. Llegábamos resoplando. Nos reíamos. Nos volvíamos a mirarla bajar, distante, apresurada.

—Cuánto mejor con Julia. Esta posma quiere hacerse la simpática, siempre pegada.

Julia se había ido.

—Si no se empeñara en jugar con nosotras...

—Ojo, ésta es capaz de entrar a buscarnos hasta el pozo.

Nos miramos. El pozo, no era posible; el pozo con la señorita dejaría para siempre jamás de ser el pozo.

—No hay forma de sacudírsela.

—Yo me encargo —dijo Odón.

Dio un brinco y se colgó de una rama baja del plátano. Así, no le llegaban los pies al suelo, se columpió. Dijo, cuando ella llegó a nuestro lado:

—La están llamando.

—¿A mí? ¿Quién?

—No sé. Me parece que la llaman.

Se volvió a mirar hacia la casa.

—¿Me esperáis aquí?

Vaciló.

—Vuelvo en seguida. Tadea, ¿me acompañas?

—No podemos jugar si se va ella —dijo Ana, rápida—. Tenemos que ser cuatro.

Dijo:

—Nada, quédate, vengo en seguida.

—Como usted quiera.

Ana estaba agachada, cuadriculando la tierra. Con la cabeza gacha la miró de reojo hasta que dejó atrás los primeros macizos. La mirábamos, conteniendo la risa.

—Odón, eres un hacha.

—Se va a dar cuenta. No sirve para todas las veces.

Corrimos a sentarnos en el banco. Odón lo hizo sobre el respaldo, con los pies sobre el asiento.

—Me manchas el delantal, tú.

—Toda fina, la señorita Ana.

Le daba con las playeras en la espalda.

—Tenemos que unirnos todos contra ella.

Ana dijo:

—Tenemos que organizarnos.

Nos echamos hacia atrás, con la cabeza sobre el respaldo, las piernas separadas.

—No me metas las playeras por la cara, hijo.

—Me preguntó si Julita era prima del abuelo o de la abuela.

—¿Qué le importa a ella? —saltó Ana—. ¿Es de su familia?

—Anda tirando de la lengua a Clota, y...

—Y como es tonta del culo se lo sacará todo. Pues si lo cuentas eres una traidora. Ahí vuelve.

—¿Cómo hacemos para despegárnosla? De prisa.

—Una de guardia, dándola conversación. Mientras tanto...

Miró a Odón, que se había dejado escurrir sobre el banco, a nuestro lado, y hacía rayas con un palito sobre la tierra.

—¿No jugáis a nada?

—Estábamos esperándola.

Nos pusimos de pie. La mano rápida de Ana contando, nos daba un golpecito sobre el pecho para contar.

—Tú te quedas —me dijo. Clota me dio un codazo.

—No os vayáis muy lejos. Esconderos por aquí, donde yo os vea.

Ana se llevó el dedo a los labios. La sonrió. Dijo:

—¡Chist! Cuida usted de que no mire, señorita, de que no haga trampa. Los ojos cerrados, Tadea. Cuenta veinte. En alto.

Empecé a contar, con la cabeza hacia atrás, cerrados los ojos. Los abrí. Nadie llamaba.

—¿No han llamado?

—No los he oído.

Se puso en pie.

—Vamos a buscarlos tú y yo.

—Me duele esta pierna, aquí.

Me tocó la pantorrilla.

—Te habrás torcido un pie, al bajar, corrías tanto. A ver, estate quieta.

Me frotó con la mano seca, con fuerza. Por encima de ella y de sus fricciones miré hacia donde estaba el pozo, tupido, oculto, con su profunda humedad.

—Prefiero no correr.

—Pero estarán escondidos hasta que los busques.

—Ya vendrán. Cuando vemos que no nos buscan, venimos a la barrera.

Clota corriendo desde el fondo.

—¿Estás ahí? No vale.

—Vale. Vale —grité, y salí detrás de ella.

La perseguí un momento hasta alcanzarla, daba vueltas para acercarse a tocar el banco, la corté el paso, lo impedía. La cogí por los dos brazos. Susurró:

—Te esperan.

—Ahora te quedas tú. Cierra los ojos.

Escapé hacia el fondo.

—No te vayas lejos, Tadea. Tu pierna...

Ana y Odón estaban en el verde recinto circular, sentados sobre el boj.

—Salió todo a las mil maravillas.

—Clota es capaz de jugar en serio.

—Siempre pegada a los talones, nos ha caído buena.

—Fíjate, mamá dijo que había sido una belleza.

Nos reímos. Inclinamos la cabeza para reírnos, para sofocar la risa sobre el pecho.

Odón dijo:

—Es una tabla rasa.

Dejó caer la mano a plomo por delante del pecho. Ana le dio un codazo. Puso aquella mirada que ponía ahora algunas veces.

—La otra estaba pipuda.

—¿Tú qué sabes?

—Se le veía por el escote toda la raya, cuando se agachaba; José Ángel...

Ana se mordía los pellejitos de las uñas.

—José Ángel... Tenéis unas conversaciones, los chicos.

—La vio en traje de baño en la playa. Dijo que estaba pipuda.

Los ojos castaños de Ana tan oscurecidos, mientras mordía las uñas.

—A mamá no le gusta que andes con los mayores.

Odón sacó la lengua.

—Vete con el soplo, soplona.

—¿Yo?

Se alzó de hombros. Se había cruzado los brazos por delante del pecho, agarrándose los hombros con las manos. Odón se acercó al pozo. Se sentó sobre el borde, con las piernas colgando, cara a nosotras, balanceándolas.

—Parece una espingarda. Francisca me lo dijo por la noche, cuando iba al cuarto de mamá para dormir. No la pueden ver.

—Tampoco podían ver a la otra. Menos a la otra.

—Más. Esta les ataca. Se da unos aires. Les pone malas los aires que se da. ¿No viste cómo saludaba a Julita?

Ana apretó las narices, levantó mucho las cejas.

—Como si oliera mal. Qué pesada, tanto coronel, tanta fotografía que nos trae de su familia.

Dije:

—Julia la defendía.

Se había ido más tarde por mi comunión. Me lo dijo. Habían pasado los días de «Ya se acerca la primavera, un día de éstos, primavera», yo la miraba con cuidado.

—Julia, ¿esta vez no te irás sin decir nada?

—Cómo voy a encontrar todo allá, tengo que irme. Eso que Isabel y Martín dan una vuelta a todo.

—¿Me lo dirás? ¿Lo sabré yo cuándo te marchas?

Se rió, sacudida.

—Dame tu palabra de honor. Di: palabra de Julia.

—No me gusta decir adiós.

—Tu palabra...

—Ya la tienes. Bueno, ¿qué sacas con eso?

Al bajar a misa vi a Patrocinio en el reclinatorio de Julia. La nueva señorita se ponía a nuestro lado, en el de Patrocinio antes. No preguntar. Tengo su palabra. Se habrá dormido. Habrá ido a confesarse a los salesianos.

—Julita que os despidiera —nos dijo Patrocinio—. Que había tenido que irse.

Íbamos por el pasillo hacia el comedor.

—¿Por qué se va siempre a la francesa?

—«Dentro de un poco me veréis, dentro de un poco no me veréis» —dijo Odón, gesticulando—. ¿Te lo dijo a ti, Tadea?

—Sí.

Su palabra. La tienes. ¿Diría por dentro: «La tienes de que me voy sin decírtelo», como hacíamos nosotras? Julia no mentía, le daba asco la mentira. Pero así no mentía del todo. ¿Me habría dicho algo la víspera y a mí se me escapó? A veces decía:

—Si te lo dije antes.

—No me había dado cuenta.

—Se te va el santo al cielo.

Entré en su cuarto. Nada. Cuarto vacío, cuarto dejado, colchón al aire, ventanas abiertas de par en par, cajones entreabiertos.

—¿Buscas algo, Tadea?

La señorita en la puerta. Entró dentro del cuarto.

—¿No habías pedido permiso para el retrete? ¿Es esto el retrete? ¡Ay, Tadea! Ese vicio de mentir.

(Ay, Tadea.)

—Usted no tiene derecho...

—¿Qué dices? ¿Qué murmuras entre dientes? Habla alto, que me entere de lo que dices. Ven acá.

Salía rápida del cuarto de Julia. Me abrazó por un hombro.

—¿Vamos a ser amigas? ¿Eh? ¿Vamos a ser buenas amigas todas?

Me sacudí. Dije:

—Usted no es mi madre.

Se quedó pegada, mirándome. Le cogí la delantera y entré antes en el cuarto. Ana levantó la cabeza, me interrogó con el gesto. La señorita me tendió el cuaderno:

—Copiar cien veces.

Rebelde. Soberbia. Mentirosa.

—Ahora no, durante el recreo.

—El médico le ha mandado tomar el aire —dijo Ana.

—Lo puede copiar en los plátanos, a mi lado.

Mentirosa. Soberbia. Rebelde. Rebelde. Soberbia. Mentirosa. Rebelde. Mentirosa. Soberbia.

No terminé la plana. Me miraba el cuaderno.

—Ahora puedes jugar. Es para que aprendas para otra vez, no necesitas terminarlo todo. ¿No corres?

Dije:

—No.

—Si te ha levantado el castigo —dijo Clota.

Miré a Clota.

—¿Ahora no quieres jugar?

—No.

Ana no cenó con nosotros.

—Le duele un poco la cabeza. Se ha quedado con mamá.

Nos dejó en la cama y se marchó. Más tarde, Obdulia subiría a acostarse en nuestro cuarto.

Ana no subió a clase al día siguiente.

—¿Está mala?

—No es nada. Está con vuestra madre. Vosotras a estudiar.

Se quedó en la terraza mientras bajábamos a los plátanos. Desde el sendero, ante el magnolio, estirábamos la cabeza para ver a Ana sentada en una butaca de alto respaldo en mimbre negro, al lado de su madre.

—Vale más que hoy no corra —había dicho tía Concha.

Ana nos miró con unos ojos que pedían socorro.

—¿Pero es que no podéis jugar a nada vosotras dos? ¿Es que necesitáis a Ana a todas horas? Qué niñas más sosas. Luego andáis siempre peleándoos. Vaya, vamos a buscar un juego.

La señorita tenía el pelo gris, seco, llevaba trajes blancos y negros, o grises, con chaquetas negras.

—¿Queréis que os cuente un cuento?

Odón se había unido a nosotras. Clota se pegó a ella.

—Ay, sí. Qué estupendo.

Odón escribió con un palito en la tierra: lameculos. Me reí.

—¿Qué hacéis ahí, vosotros dos? Odón a este lado, al lado de Clota.

—Pero yo no voy a estar ahí, como una niña.

—Ya. Te van a comprar una bicicleta, te lo ha dicho tu madre, papá de este viaje te la va a traer. Entonces podrás dar vueltas.

—Y para ir al colegio —dijo Odón.

—Mamá dijo que está al lado, que las rayas.

—Métete en tu camisa.

—¡Odón!

—Lo que quiere es que le vean los otros, para que tengan envidia.

Borró las letras de la tierra con la playera.

Ana se unió a nosotras cuando subíamos la escalera hacia el estudio.

—¿Qué tienes?

Bajó la cabeza.

—Nada.

No vino al baño. Subí a recordárselo, mientras se bañaba Clota. La busqué, estaba en la galería del cuarto de la abuela.

—Nos estamos bañando ya.

Se puso colorada.

—¿Por qué no vienes con nosotras? ¿No te bañas?

—Me duele la cabeza.

Francisca entró en el cuarto de la abuela.

—¿Qué hacéis ahí, chiquillas?

Cogió a Ana por la cintura cuando pasábamos por delante de ella.

—Ya una mujer, lo mismo que yo.

La hablaba a media voz, acercándose a su oído:

—Te puedes casar, si quieres.

Ana la pegó con el puño cerrado, rápida, contra el pecho. Me pareció que estaba a punto de llorar. Sentí miedo. Ana no lloraba jamás.

—Pero niña, si lo tenemos todas.

La sobaba.

—Déjame, déjame, asquerosa, ¡déjame!

Escapó, dándola un empujón. Francisca se rió, la boca blanda.

—Corre detrás de ella. Lo que tú no sepas. Andáis enseñandoos todo.

Encontré a Clota en la escalera. Subía a buscarme, con el pelo mojado, la cara rebrillante, morena.

—Te está esperando.

De espaldas a mí, frente al espejo, la señorita se sacó los dientes, los enjuagó debajo del grifo, volvió a encajárselos, acercando mucho la cara al espejo. Hizo un gesto a derecha e izquierda. Sonrió, delante del espejo, con aquellos dientes que había tenido en la mano.

Salté sobre la alfombrita de corcho. Se volvió.

—¿Qué miras?

Frunció el ceño. Dijo.

—Anda, aprisa. Estaba lavándome las manos.

XXVII

La cocina espaciosa, azulejos blancos, rameados de azulón, fogón negro, campana caleada. Negro fogón, chapas doradas, barra dorada que Tomasa brillaba, relucientes. También raspaba y raspaba la chapa de la cocina con arena y una esponja de alambre, se ponía acerada.

—Tomasa está orgullosa de su cocina —decía Patrocinio—. Limpia como los chorros del oro.

(Los medioscírculos de sudor bajo los brazos, las batas oliendo, colgadas tras de la puerta, aquel aliento espeso de su cuarto, los pies en las zapatillas metidas en chancletas, cercos negros en los tobillos, por detrás.)

En el centro, una mesa grande con tapa de mármol, donde partía o aplastaba la carne, amasaba la harina, comían ellos. Dos ventanas, una sobre un macizo de rosas y los olmos, la caseta de *Diana* —al fondo, la tapia medianera con la finca vecina—, a un lado la ventana en cuyo quicio estaba el agarrador dorado. Desde allí tiraba para abrir la puerta del jardín.

—No entréis en la cocina.

Íbamos con algún recado, o a ver las nueces y manzanas de Julia, rodando sobre el mármol de la mesa; si no, la veíamos de refilón, por las dos puertas de vaivén: la que daba al comedor de Patrocinio, o en la del *office*. El último tramo de la escalera de servicio, vertiendo al comedor de Patrocinio, a veces la puerta abierta, sujeta con una banqueta de cocina para que el vaivén no cediera; Tomasa tirada sobre las baldosas del suelo, fregando, con el cubo al lado, el agua jabonosa y gris. Arrastrado o busco crujido del muelle de vaivén que daba al *office*, le atravesábamos para abrir la otra puerta, bajar los peldaños de la escalera fregada que llevaba al sótano.

Cocina habitación oscura, viejos armarios de madera, sobre la artesa dos sillas de madera para el agua, estrechándose hacia la boca, con tiras de latón dorado, y unas letras doradas, sobre la panza de acacia: M. C. Hornillo negro bajo la campana de piedra ahumada. María peleando con el carbón, metiendo tarugos de leña seca por la abertura a un lado.

—Acerca la mano a las calderas de Pedro Botero.

Mi mano encima del orificio pequeño, redondo, de la plancha al rojo. No aguantaba nada.

—¿Te haces una idea? —preguntó Leontina.

Se miraba por las ventanas estrechas y largas, con cristales llenos de cuadraditos, al cielo.

—Va a caer agua.

Ventanas que cerraban, apresuradas, si el rayo se partía contra el alto monte, encrespado, grisoscuro, pelado, poderoso, color de heliotropo por las tardes, limpio azul en invierno, con los hielos. Antecocina de campana enorme, piedra por dentro, por fuera caleada, todos se agrupaban sobre unos bancos corridos en torno, leñas ardiendo sobre la piedra, bajo la embocadura de la campana —súbitas llamaradas en el fogón, al fondo, del aceite que saltaba de la sartén—, tazas blancas con vino morado, espeso, dejaba cerco a las tazas, olor de botonas, trajes de humedad, de barro.

Tina mirando al cielo sobre el fondo del río, o sobre los montes: sobre la Deitada, ancha, copuda, mansa, sola, a la derecha nuestra. Las nubes rojas a franjas, o bandullos inflados, desinflados, encendidos.

—¿Hará bueno mañana, Tina?

Se asomaba a la ventana de cuadraditos. Abajo, en el jardín, el abeto azul, el pino manso, «pinus insignis», decían Gabriel y Elías. Levantaban el brazo hacia Tina al volver del colegio, o si les reñía:

—Pinus insignis —decían, como si saludaran a un vencedor.

Tina reía.

Subiendo del río, la vi en mi busca, corrí, abriendo los brazos, me apreté contra sus faldas, dije, riéndome:

—Rosa spinossissima

como ponía en las tablillas de la otracasa. No le hizo ninguna gracia.

—Rubias ao monte, vellas a fonte.

Con los ojos fijos en las nubes inflamadas, anaranjadas sobre los montes.

La señorita tomaba las once. Las tomaba a las doce, todos los días. Al volver de los plátanos, Obdulia subía las once a la señorita sobre una bandeja. Mientras abríamos los cuadernos y preparábamos la lección, tomaba a sorbos cortos la copa de vino dulce y crujían las galletas tostadas, ondeadas, Alar del Rey. Quedaba la mesa delante de ella llena de migas de galleta. Con la yema del dedo corazón las recogía, agrupadas y se las llevaba a la boca.

(—Debe de tener un hambre. ¿No comerá en su casa? Rebaña hasta las migas.

—No se puede hacer.

—Ella es mayor.)

—¿Quieres bajar, Tadea, parece que Obdulia se retrasa?

Empujé la puerta de vaivén.

—¿Están las once de...?

Tomasa con greñas sobre la cara, tan roja del fogón, secándose las manos gordas, amorcilladas, en el paño que ponía terciado sobre el delantal.

(—Ven acá. De una vez para todas: no se dice paño, se dice rodilla. ¿Lo has oído?)

—...menuda coz de burra le daba yo.

—Un ministro del Señor —dijo Francisca, estirada, apretando los labios. De repente se pareció a tía Concha.

—Pues por mí se lo dices. No se muere de ésta.

Levantó una pierna, lo mismo que los perros, con el tobillo tan gordo, Obdulia se rió.

—Los meaos son buenos para la piel, para que lo sepas. A una prima de mi madre se los recetó el médico.

Obdulia dijo:

—Eso es verdad, yo lo he oído decir siempre.

—Verás cómo se le quitan los granos a don Luciano. Te diría yo dónde los pilló.

Se reía, con aquel bamboleo de los pechos. Cogió el hierro de la cocina, lo metió por la mirilla negra para atizar el fuego.

—La señora, que es una inocente.

Obdulia me vio. Dijo:

—Ah, eres tú. Voy volando, que espere.

Atravesé la cocina con las voces de Tomasa y Francisca cruzándose, fui a la puerta de vaivén que daba al office, venía Rosendo. Detrás de mí, Obdulia, a coger un vaso sobre el cinc. Dijo:

—Ésa, que se meó ayer en el bistec de don Luciano.

La risa de Rosendo, incontenible, sonora, escaleras arriba.

—Atiende, Tadea, que este año te tienes que examinar de ingreso. Ya verás el tribunal, no se anda con bromas. Tres señores...

—Dijo mamá que no veía para qué te hacían estudiar, que debían de tenerte con el servicio.

—Tu mamá no dijo eso. Dijo que para la vida que tendría que hacer Tadea el día de mañana, le serviría mejor saber faenas caseras.

—No acostumbrarla, dijo.

—¿Tus hermanos estudian?

—Están internos, en los jesuitas.

Silencio.

—¿Y quién se queda con tu papá?

Alcé los hombros. Muy lejos, muy honda, la cara de Tina, más bien la sonrisa rápida y sin contemplaciones de Tina. (Cerrar por dentro el pozo.) Un fondo de pozo con caras en lo verdoso, aceitoso, con voces lamiendo las paredes. Tapar la boca al pozo. No oír.

Despacio, levanté la cabeza, miré enfrente, a la puerta con sus ojos en la madera, corriente del Gulfstream. Líneas sinuosas, ovoides. Líneas sinuosas. Entrecerré los ojos. ¿Cómo es la cara de Tina? Grandes brazos secos, en aspa, altas sombras creciendo de los brazos, pelo gris, tirante en una castañeta, cara color de tierrabarro, cerca de la piedra. Se me hundía, se me iba. *Grandes árboles altísimos, chascando al aire, árboles de la entrada. Cejas apretadas, cara airada.*

—La tierra en que te criares, détela Dios por madre.

Desde dentro del coche viejo, sentada al fondo, viéndola al pie de la casa, entre los árboles. Pegué la cara a la ventanilla de atrás, la vi hacerse pequeña, pequeña, lejana. No dijo adiós con la mano.

—A tu tierra, grulla, aunque sea con un pie.

La tierra la sumía, la sumía. La mano de mi padre sobre la rodilla.

—Te mando por tu bien.

La tierra en que te criares... Jenaro dijo:

—Nos volverás hecha una señoritiña.

El tren, el tren. Don Magín en la ventanilla, buscándonos, agitando el brazo negro. El jefe de la estación con la gorra azul, la bandera enrollada bajo el brazo.

—Sin prisas. Buenos días, señor. No hay prisa. Les da tiempo a subir. El tren espera.

—¿No te asomas a la ventanilla? Está tu papá diciéndote adiós.

Irse, irse, irse. Solo, quieto, el hombre sobre el andén, risueño, agitando su mano estrecha, fina, suave vello negro largo en las falanges.

—Mete ya la cabeza, puede segártela un poste.

Ya está, caminos conocidos.

Clota dijo:

—La señorita puede casarse con tu papá.

Por debajo de la mesa la arreé una patada.

—¡Ay!

Separó la silla para mirarse la piel, levantada en el tobillo.

—Me has hecho daño, bruta.

Dijo:

—Me ha dado porque...

—¡Cállate la boca! ¡Idiota! ¡Más te valiera no haber nacido!

—¿Qué dices?

—¡Lo digo, lo digo! ¡Idiota!

—¡Copia cien veces: soy una niña soberbia y rebelde y mala!

Cogí el cuaderno.

—Lo digo.

—¿Qué murmuras todavía, que yo te oiga?

—No tenéis una peseta. La abuela te tiene de caridad.

—Calla, Ana. No se dice eso. Coge el cuaderno.

Lo abrí.

—Te quedarás en clase durante el recreo.

Vino a buscarme Francisca. En la biblioteca, la abuela en su butaca, tía Concha dando vueltas, con la cara alterada.

—Pasa. Aquí está. —Esperó a que se retirara Francisca—. Vas a repetirlo delante de la abuela.

Apretaba las manos, las gemía.

—Para que luego digas. Si te lo digo, mamá, no hay forma... Cree uno que ha entrado por el aro, y te sale con una de éstas.

Los ojos de la abuela, canicas transparentes, azulísimas. Se volvieron hacia el prado de Piano. No quería mirarme. Una mano sobre el cuerpo, la otra tan cerca de mí, apoyada en el brazo de la butaca morada. La pana rayada de la butaca, a canalones, líneas paralelas. Líneas paralelas son aquellas que yendo en una misma dirección, nunca llegan a encontrarse. La mano incolora, ancha, las uñas rapadas, abultadas las venas.

—malos instintos, se me agota la paciencia. Está una vendida con ella. Habrá que devolvérsela a su padre.

Volvió lentamente la cara ancha, sin color, vacía de mirada.

—¿Qué le has dicho a tu prima?

—Díselo, repíteselo tú misma. Yo no te obligo. Que lo sepa por ti. ¿No contestas? ¿No contestas a la abuela?

Me cogió por la nuca.

—...no contestar cuando se te pregunta. Falta de respeto. ¡Descastada! Repite. Repite...

Largas rayas de la pana morada. La mano quieta, tan

quieta, posada. Manocosa. Mirar la mano con sus venas azuladas de bulto.

—Te arrepentirás de haberla traído, te lo dije. Te lo dije.

no los ojos tan claros, limpidísimos.

—Desear la muerte a alguien... o es propio de una niña. ¿No lo ves que es una anormal? Desear la muerte a Clota, una criatura como Clota...

La miré con horror.

—¿Qué dices a eso?

La voz sin tono, venida desde otro sitio, no de tan cerca, o de tan cerca, pero sin frío ni calor.

—¿A qué, abuela?

—Habla más alto, saca las manos de los bolsillos. ¿No has deseado la muerte a Clota?

—¡No!

—¿Sabes que es pecado mortal? ¿Niegas? ¿Lo niegas? ¡Farsante! ¿Sabes que si te mueres en este instante te condenas?

—Yo no...

—Muy bonito —se cruzó de brazos—, así que soy yo una mentirosa, dilo de una vez, estoy inventando una cosa tan gorda. Te han oído tres personas. Pero, claro, todos mienten, menos tú.

Me sacudió la cabeza a un lado y otro, cogida por la nuca.

—Desear la muerte, como los judíos a Dios. Esto se lo digo al tío Andrés.

—¡No!

—Vamos a ver: ¿no has dicho que más le valiera haberse muerto al nacer?

—Pero, mamá, ¿por qué la preguntas a ella? ¿No la ves?

Respiré más tranquila, el vértigo hacia dentro cedía, casi reí.

—No fue eso. Dije: Más te valiera no haber nacido.

Qué silencio, hundiéndose, desfondándose.

—Ya lo has oído.

Se dejó caer en la butaca al lado. Se pasó la mano por la cara.

—Tía...

—A callar, acabas de confesarlo.

Jirones de silencio.

—¿No ves que hay que separarla de los otros, que los contagia?

El prado de Piano, la hierba verde, la vaca tan tranquila.

—...interna en un colegio.

Los burros que embocaban la cuesta, con las mujeres riéndose.

—¿Por qué lloras? ¿Quieres decirme por qué lloras ahora? Antes había que llorar, antes de decirlo.

Abrir mucho los ojos, pestañear para ver, apretar, pero de dentro saltaba, se desbordaba.

—Ahora las lagrimitas, delante de la abuela. Tan delicada. Le sube la tensión. Gramática parda. Pero tú no tienes corazón. Ni pizca. Nadie te importa nada. No hay más que verlo. La pobre abuela...

Aguantar, aguantar, apretar los puños dentro del bolsillo para hacer fuerza. Después arriba, frente al aljibe. Los labios temblando de aquella manera. Morderse la piel granulada por dentro.

—¿Por qué lloras, Tadea?

Tragar las lágrimas. Atragantarse de lágrimas. Dije:

—Lloro por el maíz

tan bajo, apenas me salió, no me habría oído. La mano de la abuela tembló sobre el brazo de la butaca. ¿Fue su mano la que tembló, o fueron mis lágrimas?

XXVIII

Desde las ventanas de la biblioteca, el guijo del jardín, los macizos de entrada, el arbolillo fuschia, con las campanillas que estallaban entre los dedos, lágrimas de santa Rita. El portón, la mirilla de reja negra, negras cabezas, redondas, achatadas, de los clavos. Paseo del Alta, camino ancho de tierra arenosa, cerca de piedras campesinas limitando los prados. Más allá de los prados, de las vacas, de los postes de luz aislados, de las casitas esparcidas, más allá de tanto cuadrado de distintos verdes, la mar. El Cantábrico con su lámpara circular, giratoria, sobre la mar oscura, una mar más negra que el negro jardín, de noche. Apoyé la mejilla derecha sobre el cristal: parte del Alta a la Media Luna.

(—Ciriego.
llevaba el índice doblado a los labios. Conduce a Ciriego un camino sombreado de árboles. Bajaba la voz:

—El cementerio.

Aire dulce y grave de la Media Luna.)

Encierro en la biblioteca; mientras arriba estudiaban las primas, yo, ante la mesa del despacho, qué espaciosa. Empecé con ansia. Patrocinio los dos primeros días se estuvo sentada en el diván circular de la siesta del tío. Entraban continuamente a llamarla, por las llaves. La ventana... (Apestada, como los leprosos al borde del sendero, tocando la campanilla.) Comía con ella, volvíamos a la biblioteca mientras las demás se dirigían a la terraza.

—¿Te estarás quieta mientras hago una necesidad? Que te encuentre en el mismo sitio.

Luz amarilla, pesada, del calor. Bochorno.

—Va a haber sur.

Patrocinio cabeceaba en el diván. Ana reposaba en la terraza. Todas las tardes, después de comer, estiraban la parte bajera de la tumbona de mimbre negro, y le ponían almohadas detrás de la espalda. Le tapaban las piernas con un chal. A Clota también le compraron una bicicleta. Los veía por la ventana, la de Odón tenía una barra horizontal en el centro, la conducía de pie sobre los pedales, tocaban estruendosamente los timbres para que yo les viera. Apoyada la cabeza en el brazo doblado, sobre la mesa de despacho, que cuando no era verano usaba tío Andrés.

—Después de comer ni un sobre escrito leer —dijo la señorita—. Ya sabes, durante una hora, te fijas bien en el reloj de enfrente, puedes asomarte a la ventana. No toques un libro de la biblioteca. Por supuesto, Patrocinio. Te sientas en esta butaca si quieres descansar. No desobedezcas. No se entera uno de lo que no se hace.

Miraba con la cabeza apoyada al cristal, por encima del muro del jardín. Abajo sonaban los timbres de las bicicletas, risas, algarabías de timbres a la vez. Los miraba, torciendo mucho el cuello, cuando iban de espaldas a coger la curva ante el asfalto que llevaba al garaje.

¿Cómo haría el viento sobre la cara, en bicicleta?

—¿De qué te ríes? ¿Porque Odón se ha dado un trastazo? ¿Eso te hace reír?

La bicicleta roja de Odón, azul de Clota. El ruido de grava crujiente, la huella sobre el guijo de las ruedas.

—Te compraremos una «Peugeot» en cuanto el médico diga que puedes hacer ejercicio. Ahora sería una tentación.

La tentación de Ana echada en su tumbona, con sus delantales floreados, granitos en la frente, en la barbilla, en torno a la boca.

—¿Qué tiene Ana? —pregunté a Patrocinio.

—No se pregunta. Una niña que yo sé se murió preguntando.

Tenía que esperar a que Obdulia acabase de recoger

para subir a la cama. Entrábamos cuando Clota ya dormía.

—¿Qué hace esta niña aquí, a estas horas?

Salían de cenar, del comedor grande, había oído sus pasos.

—Está castigada. Tadea, ponte de pie.

Tío Juan siguió andando, torció hacia la escalera grande. Los ojos de tío Andrés que te miraban como a un teléfono, como a una revista «ponerse al día», estaba tan ocupado, tantas cosas en la cabeza. Francisca llevaba la talma de la abuela. Se alejaron. Subían las escaleras grandes. La voz de tío Juan:

—Se está durmiendo.

—No te metas a redentor.

Entre el sueño me pareció ver su rápido y nervioso parpadeo.

—¿Vamos, chiquilla?

Obdulia metía la punta de la lengua en las muelas, absorbía con un ruidito.

—También la cría... —dijo Tomasa.

Salía ya en chancletas, ya quitándose el cuello blanco, prendido con automáticos.

—¿Qué hiciste, mujer?

Se quitaba el delantalón, se desabotonaba la cintura, descruzaba los tirantes. Dijo:

—¡Uf!

La bata se le hundía en la cintura, le salía el vientre bombeado. Volvió a decir:

—¡Uf!

Se sentó en la silla de Patrocinio, con las piernas separadas, un gesto quieto, cansado.

Subí con ellas la escalera.

—A la guarida —dijo.

Subía despacio, detrás de nosotras, parándose en los descansillos, la adelantábamos, la dejamos atrás.

Obdulia entraba a tientas, buscaba la llave de la luz, encendía. Clota no se despertaba, o en sueños daba media vuelta en la cama.

—No hagas ruido, que están los tíos abajo, en la biblioteca.

La camita de barrotes, de pronto como el prado de Piano, tiraba de mí. Medio dormida, de rodillas sobre la alfombrita, instintivamente:

—como me echo en esta cama, me echaré en la sepultura.

—Reza en la cama, mujer. Buena gana.

Las sábanas acogedoras, nada más.

Patrocinio pidió un número desde el teléfono de la biblioteca.

—Asómate a ver si vienen.

Fui hasta la puerta de cristales.

—...no traigas a la niña, no se te ocurra, Ana tiene un ganglio.

El pasillo solitario. De frente, la escalera.

—Que es por el desarrollo, dice don Miguel, que no tiene importancia, pero como Clemen lo coge todo.

Las horas pasaban despacísimo. A las menos diez por el reloj frente a la mesa de despacho, subía al cuarto de estudio para que la señorita me tomase la lección.

Recuerde el alma dormida
avive el seso y despierte
contemplando

Clota con la boca entreabierta.

—Yo no me acuerdo de todo de carrerilla.

—No hay ningún mérito en tener memoria. Para que luego digas que no te acuerdas de las cosas.

cómo se viene la muerte,
tan callando.

Sola, con la mejilla sobre el cristal de la ventana, me encontraba diciendo:

allegados son iguales
los que viven de sus manos
y los ricos.

Ventana. Paseo del Alta. Media Luna. Larguísimas horas, verano larguísimo, aplastante, bajo.

Cenaba, mi silla frente al vasar donde había visto a Julia con el plato posado con queso, y una copa de vino blanco. «Una roencia».

Mientras Obdulia terminaba de recoger la vajilla, echada de bruces sobre la mesa de Patrocinio, la música a ras del suelo, por las rendijas bajas de la puerta de la sala, desde el saloncito de música. Volví a oír la vocecita suave, insistente, incansable, imponiéndose sobre un estruendo de ola, sobre un fragor, subiendo, erguida, sola, en alta frase, suplicante, larga.

—¿Te has dormido, chiquilla?

Al día siguiente, cuando entré a dar la ronda de besos en las frentes —se agachaban maquinalmente mientras seguían comiendo, sin volverse—, en torno a la mesa del comedor grande, tío Juan sí se volvió:

—Así, que te gusta la música.

Sentí que me ponía colorada.

—¿A Tadea? ¿De dónde sacas eso?

Los ojos sorprendidos de tía Concha, yendo del uno al otro. Quise seguir en mis besos, pero tío Juan me retuvo por un brazo.

—¿Te gusta?

La sonrisa carnosa de los labios gordos, muy gordos —estaba siempre mordiéndoselos—, bigote duro, tupido, moreno. Parpadeaba de prisa. Dije:

—No

mirando a tía Concha.

—Pues un pajarito me ha contado que ayer dijiste que no te querías ir a la cama, dijiste: «Espera a que se acabe esto.»

Me ardían las orejas.

—¿Es verdad, Tadea? ¿No obedeciste a la primera?

—Cállate, Concha. ¿Sabes qué música era? ¿No?

—Niños, escuchad a vuestro tío.

—La escribió un hombre que era sordo, se paseaba a la orilla del mar, ¿te has fijado en la mascarilla que tengo sobre el piano? Ludwig van Beethoven. Se la sacaron después de muerto.

La mascarilla se parecía a la abuela.

—Es el concierto número tres. ¿Sabes lo que significa? —tenía los ojos claros, distraídos—. Diálogo entre el hombre y Dios.

Seguí la ronda. ¿Me miraban?

Lo puso en la gramola esa misma noche, mientras yo estaba en el comedor de Patrocinio. Me latía el corazón. Sabía que lo pondría. Limpia, débil, incansable vocecita, el estruendo: Dios y los hombres. Tadea.

—Ayer la amante de la música se durmió durante el concierto —la sonrisa estirada de tía Concha, en presencia de tío Juan, en la terraza.

Pero tío Juan reposaba también. (—No se dice echar, se dice «reposar»), lo mismo que Ana, sobre otra tumbona, con las gafas encima de la manta, aquel rostro más como nosotros, desnudo. Le besé con muchísimo cuidado.

Subí a la biblioteca. Vi, desde la ventana, pasar a Odón, de pie sobre los pedales, un mechón de pelo le cegaba, miró hacia arriba y soltó una mano, el manillar se le fue hacia la derecha, volvió a agarrarlo con las dos manos. Me reí. Tomasa cruzó el asfalto hacia la casa de Venancio, andaba muy pesada, como si estuviese escocida.

El Alta, el aire, camino de la Media Luna.

Francisca reposando en su cuarto del tercero, la señorita en los plátanos.

El camino, aire del camino.

Obdulia, en el *office;* Eugenia, la asistenta, planchando. Rosendo también en el planchero, hasta sacar el coche.

Camino, aire del camino, aquello que punzaba, que apretaba, que crecía.

La bicicleta, una, dos, pasan. ¿Cuánto tardan en dar la vuelta?

Aire del camino, de una vez, aquello que apretaba en las sienes, fuerte, fuerte, fuerte...

La abuela, los tíos en la terraza, Ana.

andar, aquello que subía, prado de Piano, «yérguese la hierba sobre la tierra». Dormida Patrocinio. Abrir la puerta de cristales girando el picaporte con tantísimo cuidado. Cerrar. Bajar por la escalera grande. Crujido. Esperar. La señal de la cruz. «Antes de emprender alguna buena obra, siempre que nos viéremos en alguna necesidad, tentación o peligro.» Quietud. Modorra sobre la casa. Seguir bajando. Zumbaba el silencio en el bochorno. El pequeño escribiente florentino. «¿Te acordarás de mí? Adiós, abuela.» Daño dentro. Por la puerta grande, bajar las escaleras que tío Juan subía de dos en dos (tío Juan, tío Juan...), vestíbulo de entrada, puerta de entrada, descorrer el pasador, alzándome sobre la punta de los pies, tirar, jardín. Entornar de prisa, timbre de la bicicleta. Odón derecho, rápido sobre ella; Clota haciendo fuerza sobre los pedales, con la redecilla amarilla y azul sobre la rueda trasera, tuercen, desaparecen a la derecha. Sin correr, el guijo, qué ruido, el guijo blanco crujiendo bajo las sandalias marrones, abrir el portón, tintineo de la campana, pararse al otro lado, aquel sonido vibrante, extendiéndose... Nada. Sube un hombre, a lo lejos, por el caminito de Cueto. Que no me coja. De prisa. De prisa. Delante de mí, como con Julia. Delante. No podía mirar a los campos, no podía disfrutar del aire. Miraba hacia atrás. Fui rebasando la tapia. No pasaba nadie. Todo era mayor de lo que me acordaba, más grande, más extraño. No se llegaba nunca a la Media Luna. ¿Estaría más lejos? Tenía que estar allí, allí. Cada vez más lejos. Vi los árboles. Pasaron dos mujeres. Me miraron. Había tantas niñas en los caminos. (En éste, no.) ¿Irían a decir algo en casa? Una niña con un delantal floreado, melena recta, al ras de las orejas, cinta de terciopelo marrón en el pelo. «Es mi nieta», diría la abuela. (Nunca había dicho: mi nieta.) Me volví. Continuaban su camino. Todavía más. La Media Luna. Árboles copudos, banco de piedra en torno. Lo toqué con la mano. Me senté. ¿Qué hacía? Se iban a dar cuenta de que era una niña sola. Un hormiguero en el hueco del banco, columna de hormigas del hormiguero al tronco, trepaban por la corteza. ¿Qué se podía hacer? Un niño cruzó el prado de atrás con una vaca, llevaba un calzón descolorido, la camisa a jirones, descalzo. Llamaba:

—¡Toraaaaa!

La llevaba con una cuerda, me vio, se puso un poco separado, aguantó la estaca que remataba la cuerda en la hierba, apretando la tierra con ambas manos, haciendo fuerza. Daba con una piedra para clavarla. Más pequeño que yo. Daba, me miraba de reojo a ver si le miraba. Me di vuelta en el banco, dejando el Alta a espaldas, y miré lo que hacía. La vaca devoraba la hierba, haciendo calvas, movía el rabo a compás; el chaval vino, apoyó la espalda contra la cerca de piedra, a un lado de donde yo estaba, agarrando algo de sombra de los árboles de la Media Luna, se echó la boina casi sobre los ojos. No hablábamos.

—¡A casa inmediatamente!

Francisca resoplando, hablando entrecortada, una mano sobre el pecho:

—Te íbamos a mandar a buscar por los guardias. Te iban a meter en el calabozo, para que aprendas.

Me puse de pie. El chico echó atrás la gorra, me miró con burla.

—Dame la mano, no te me escapas más. La tensión de la abuela.

La mano blanda, pegada a la mía. Que se llegue tarde. El camino es tan largo. Venía en la misma dirección Patrocinio, con la mantilla puesta:

—Rosendo salió a buscarte con el coche, por el otro lado, ¿no te da vergüenza? No le han dicho nada a la señora para no alarmarla.

—Fugarte de esta casa.

—Calle la boca, Francisca, ha dicho la señorita Concha...

Qué rápido el regreso, en seguida la puerta del jardín, de par en par abierta, dentro del coche, Rosendo hablando desde abajo con Tomasa en la cocina.

—Vamos —dijo Patrocinio.

Peor no ser reñida. Peor no ser llamada. Peor ni una palabra. Peor la cara de todos los días. ¿A lo mejor, tampoco tía Concha...? Pero Patrocinio había dicho... Esperar. Que me llamen de una vez.

—Que subas a clase.

Me dirigí a la biblioteca.

—A vuestro cuarto, ha dicho la tía.

Las cabezas bajas sobre los cuadernos sin moverse, ni un gesto de las primas. La señorita con el libro abierto.

—Siéntate Tadea, estoy dictando. A ver si les alcanzas.

Me van a llamar a la biblioteca. Estudiar. Van a llamarme. Bajar a los plátanos.

—Puedes jugar.

Odón y Clota montaron en sus bicicletas, que traían cogidas por el manillar. Las habían recogido en el sótano. Ana, sentada sobre el banco, se echó hacia delante.

—No te conviene hacer punto, Ana.

Apoyó la barbilla en las manos, los codos en las rodillas.

—No te toques los granos. Juega a lo que quieras, Tadea.

Busqué una piedra. Me agaché, empecé a hacer cuadrados sobre la tierra.

—No te acerques ahí.

Ahí era la abertura del seto. Todo cerrado. Los ojos fijos alertas de la señorita.

—y prohibido el pozo.

Ana desvió los ojos, como si no me viera.

—...sabemos todo lo que hacías.

No me llamaron. Se acostó Patrocinio en la cama, junto a Clota, donde dormía Obdulia, al tiempo que nosotras. Esperó a que estuviésemos arropadas, apagó la luz, se desnudó a oscuras. Olía fuertemente a rancio.

XXIX

El cuarto de costura, con su máquina alta de coser de pedal grande, el pie yendo y viniendo en él, la mano rápida sobre la manivela, a la derecha. Patrocinio ayudaba a coser a Isaura.

—Yo le voy sobrehilando. La ropa con buena bastilla, dejarle en las lorzas.

Pegada a la pared la cama turca, cubierta con una colcha que parecía una alfombra. La almohada en que estuvieron aquellas agujas de Francisca.

—Levanta el brazo. ¿Y qué le ha parecido a la señora?

Frente a la cama una puertecita al cuarto de los baúles, con el techo en declive. Al final no se cabía de pie.

—Del momento que se han casado... Lo que Dios bendice, dice la señorita Concha. Cuánta caridad, todo lo arregló ella, papeles, iglesia. Pura estaba tan agradecida.

Isaura habló con alfileres entre los dientes:

—Pues Millán, eso de pasar por la iglesia...

—¿Qué remedio le quedó? El empleo se lo buscó el señorito. Estate quieta. Vete dando la vuelta despacio. Ya sabe cuánto le gusta al señorito cómo guisa Tomasa. Por las noches, después de recoger, no tiene más que cruzar el asfalto para irse con el marido, fíjese qué cómodo. Fue un arreglo buenísimo. No sabía cómo decírselo a los señores. No se daban cuenta.

—¿Cortamos el escote por aquí?

—No. Hombreras imperio no les gusta. Así. Hasta le compraron una bicicleta, de regalo de bodas, para ir y venir del trabajo, no cabe más. Sácate la enagua por arriba, Tadea, no te sale por abajo, la descoses.

—Cómo estira, va a ser la más alta de las tres. Casi calza el pie que yo.

—Hierba mala...

Frente al retrete la puerta abierta del cuarto de Tomasa y Obdulia. Asomé la cabeza. Las camas cubiertas, las batas en el perchero.

—...un retrato con Mariano en las ferias, del otoño pasado, ella de quinto y él de niñera.

—Menuda cara. Viéndose ya con el otro. La señorita demasiado buena.

—Se casaron, hija, a ésa le ha salido bien.

—Para no salir de pobre, también son ganas. Se me hace que no se lo han dicho a la señora, tan mirada.

Obdulia se rió.

—Así no cambian de mano.

—Ni que no hubiera más cocinera en el mundo, una puerca. ¿En dónde se vería con él?

—Cuando salía, el domingo que la tocaba.

—Pero, ¿en dónde? ¿A dónde irían? ¿Tú crees que era capaz de...?

Obdulia se rió.

—A cualquier sitio mira tú, una cosa así. A la playa, debajo de la caseta de la segunda, entre los pilares, se ve cada cosa, o al fondo de todo, contra las rocas, no te digo, cuando se hace de noche. Pues mira que no hay sitios. Por ahí, al campo...

Apuntó con la barbilla hacia los pueblecitos de enfrente.

—...detrás de unas piedras.

—Ahora que me acuerdo, ¡comulgó por Pascua!

—La mandaron los señores.

—Con eso dentro —respiraba de prisa—. ¡Qué sacrilegio!

Se santiguó. Dijo:

—Sagrado Corazón de Jesús, en Vos confío.

Tenía los ojos acuosos. Se pasó la lengua sobre las labios escamados, secos. Después, se extendió su voz por los pasillos:

Yo tengo sed ardiente

—La va a oír la señora.

Patrocinio se asomó al *office*.

—¿No está aquí Francisca? ¿Por dónde anda?

—Tiene permiso para cantar. A la señora le gusta.

Que me devora el alma

—¿No vas a clase? ¿Qué haces aquí tú?

Se puso delante de la puerta del sótano.

—Ha venido por el café con leche de la señorita.

Calcular el cociente aproximado en menos de una unidad decimal de dos números enteros o decimales. «En esto descubrieron treinta o cuarenta molinos de viento que hay en aquel campo, y así como Don Quijote los vio, dijo a su escudero.» Sujeto. Predicado. Volver a la oración por pasiva. «Partid el niño por medio. —No lo matéis, señor, dadla a ella el niño vivo. —Ésta es la verdadera madre.» Vertebrados de sangre fría. Vertebrados de sangre caliente. Toda la vida espiritual se desarrolla con la ayuda del sistema nervioso. Puede perjudicar bebidas alcohólicas, exceso de tabaco y otros vicios dañinos. Langue d'Oc. Langue d'Oïl. Osa Mayor, Osa Menor (cuya estrella «polar» señala el norte), Vocher, Pegaso, Casiopea, Lira, Águila, Dragón, etcétera.

Las estrellas temblequeando.

—...cuenta trece estrellas, tiras la zapatilla al aire, te metes en la cama antes de que caiga al suelo, y con quien sueñas te vas a casar.

Clota se tapó la boca con la mano.

—Cuánto sabes. ¿Quién te lo ha contado?

Me alcé de hombros.

—No se lo cuentes a Ana, Tadea. ¿Lo hacemos esta noche?

No sé si soñé, no me acordaba de nada al despertarme. Clota me habló torciendo la boca, mientras se pasaba un agua por la cara.

—Soñé con don Luciano. No vale.

Arrastraba la esponja empapada por la mejilla.

—¿Con don Luciano? ¿Soñaste con...?

—Todo eso es mentira.

Fruncía los labios. Me quedé sentada al borde de la cama. Dije:

—¿Sabes lo que te digo? Será que vas a ser monja.

Resplandeció. Estrujó la esponja bien, y empezó a secarse. Apartó un poco la toalla mientras yo me acercaba al lavabo:

—Pero yo quiero tener muchos niños.

Se frotó.

—Voy a volver a contarlas, a lo mejor no lo hice bien.

Ana se alzó de hombros cuando se lo dijimos. No le importaba ya nada nuestro. Al día siguiente entró en clase con su cinta de terciopelo marrón como una banda en torno al pelo castaño (con el sol del verano el pelo se le doraba a rayas). Tenía los ojos brillantes. Me pasó un papelito: «Soñé con José-Ángel. Rómpelo.» Rompí a cachitos menudos el papel.

—No te distraigas, Ana.

—Si es que no tengo ganas.

—Ana, una mujercita... Que lo digan las pequeñas, pero tú. Las niñas hacen lo que se les manda. Ganas y querer son dos palabras que no existen hasta que se tiene veinte años.

Ana me pasó otro papel por debajo de la mesa. Me dio dos o tres veces con la pierna para que lo cogiera. Lo leí sobre las rodillas, echando un poco la silla hacia atrás: «A ésta me la cargo.»

Se volvió a mí, con cara indiferente. Dijo en alto como si hablase de otra cosa:

—Me revienta.

—¿Qué dices? No se dice...

—Nada, hablaba con Tadea.

—No se habla durante la clase. No se dice «me revienta».

En los plátanos, Clota me dijo, con la cabeza agachada mientras limpiaba el pedal de su bicicleta:

—No nos dejan hablar contigo.

Una vergüenza tremenda, no sabía de qué.

Nos cambiaron el sitio del recreo para ver mejor las bicicletas.

—No les deje correr mucho, señorita. Que no bajen esa cuesta sin los frenos.

Un banco para la señorita a la sombra de la casa, en el porche que hacía el sótano entre el invernadero y el cuarto de herramientas. Frente al porche, de siempre, aquel banco de listones verdes al sol, pegado al ancho césped.

—No te sientes ahí, Tadea, te vas a achicharrar.

Entre un calor acuoso de mi cabeza o del sol oía, como zumbidos, los timbres de las bicicletas pasando a velocidad junto a mí, el volar de las abejas sobre las flores del macizo que encabezaba el césped.

—¿Qué hace esa niña ahí?, va a darle una insolación.

Tía Concha apoyada en la barandilla de la terraza.

—Ya se lo he dicho, señorita Concha.

—No queremos ver niños desde la terraza.

Las bicicletas pasando y pasando por delante. Me tocaba la cabeza, abrasaba el pelo.

—A pleno sol de agosto. Así vienen las lesiones. Lo hago por su bien. Si no me importara...

Fui al banco, a la sombra, al lado de la señorita.

—Aquí no puedo jugar a nada, me aburro.

—Los niños no se aburren. Te estás tranquila, buena falta te hace.

Tomasa me cogió por un brazo cuando subía del sótano. Me estrujó a su cintura, me dijo, ronca voz contra mi oreja:

—Te van a mandar al colegio.

—¡Tadea!

Me besó, sorbiéndome la mejilla, chascando.

—Pon la mano aquí. ¿No lo sientes?

Levantó medio delantal, llevó mi mano sobre su vientre abultado.

—Menudo jaleo se trae éste. No tires, no tengas miedo, que no es nada malo, no te pasa nada.

Se rió. Se le había puesto mirada de vaca.

—¡Tadea!

Oprimió la mano contra aquel sitio mientras yo me escapaba corriendo.

—¿Qué tienes que andar siempre con las muchachas, se puede saber?

Tío Juan subía de dos en dos la esecalera grande, escurriendo la mano por el pasamanos. (La pechera blanca brillante, de refilón, desde el comedor de Patrocinio, el pelo planchado hacia atrás, la luz se reflejaba al pasar bajo el farol de la entrada.

—Qué guapo —dijo Patrocinio, como si estuviéramos en la capilla—. Va al baile del tenis.

También le vi, cuando Patrocinio se había ido a acostar, mientras esperaba a Obdulia, bajar las escaleras a su manera viva y firme, sacando llaves del bolsillo del pantalón. Obdulia acudió a abrirle. Oímos el arrancar del coche.

—Vamos de juerga.

Tomasa rió de aquella forma que a veces se reía, con todo el cuerpo.

—Para ellos es la vida.

—También a sus años, si no se juerguea ahora un poco.

Tomasa entró más contenta en la cocina.

—Cuando saca el coche él, ya se sabe.

—No va a tener a Rosendo de espera.

—Cuando va al tenis lo lleva.

Apagaron la luz. Vinieron a buscarme.

—¿Vamos de juerga también nosotras?

—Al baile de las sábanas blancas —solía decir Patronicio.)

Nos vio. Sonrió hacia nosotras, la mano derecha carnosa, ancha, con los dedos apiñados hacia dentro, como un cuenco.

—La media luna es una cuna
¿y quién la briza?

Ana y Clota se rieron. Yo acerqué la cara a la barandilla.

—el niño de la media luna
¿qué sueños riza?

La mano ancha, un poco húmeda, en mi oreja, en mi cuello. Un friíto por dentro.

—¿Te gusta la poesía?

Sacudí la cabeza.

—No.

—A mí, sí. A mí, sí —dijo Clota—. Me gustan mucho los versos, tío. Tadea se sabe «Recuerde el alma dormida» todo de memoria.

Qué fastidio.

—¿A ver? ¿Te lo sabes?

Alcé los hombros. Dije:

—Es la lección.

Se quedó callado, parpadeó de prisa, mirándome. Una lucecita burlona en los ojos.

—Así que quedamos en que no te gusta la poesía, ¿eh?

Se oyó:

—¡Niñas! —de la señorita, desde la escalera.

—La clase, tío —dijo Ana.

Me pareció enfadada o molesta. ¿O eran ideas mías? Eché a andar. Me di cuenta de que el tío no se movía.

—La media luna es una cuna
¿y quién la mece?

La voz mecía, honda, caliente. Subía, subía. Entraba. Arrastré los pasos. Quería oír.

—El niño de la media luna
¿para quién crece?

Me paré en seco. Noté que encorvaba los hombros. Puse la mano sobre la barandilla de la escalera.

—...va a luna nueva

No volverme.

—el niño de la media luna
¿quién me lo lleva?

Risa suave, burlona, buena, detrás de mí. Me dio un azote.

XXX

—Y tú, cuándo vienes para allá, ¿eh? ¿No quieres ya nada con tus paisanos?

—Qué cosas tiene, don Magín. Tiene que entrar en el colegio, después de Reyes.

—De aquí a Reyes ya he dado yo la vuelta. Voy un mes para allá.

—No puede interrumpir los estudios. Son tres meses, don Magín, temo que si vuelve allá volvamos a las andadas. Aquella libertad...

—¿No quieres nada para papá, para aquella gente? En cuanto llego, al día siguiente, ya se sabe, tengo que ir a comer con don Gabriel, quiere saber cosas de ella.

—Pues no lo parece —dijo tía Concha—. Nadie lo diría.

—Se acuerda. Tiene sus cosas. Un hombre solo. Pero está muy pendiente de los hijos.

—En fin. Es mejor así.

—Ésta ya sabe él que está bien cuidada, con la abuelita. Por ésta vive confiado. ¿De verdad que no se te ocurre nada? Tanto que me pregunta Leontina.

Frente al prado de Piano los soldados del cuartel hacían la instrucción. Les mandaba un oficial a caballo. Llevaba uniforme azul.

—¿No les mandas recuerdos?

Dije:

—Bueno.

Un, dos, un, dos, un, dos. Aquél se retrasaba, daba los pasitos en uno.

—...sólo un mes, la señorita no se compromete, si no estoy yo. Por Ana nos conviene otro clima menos húmedo, por esta facilidad que tiene para los catarros. Es lo único que tiene.

—Pero Tadea es buena, un angelito, ¿no?

Me puse roja.

—Si perdiera esa fea costumbre de no decir la verdad.

—De ahora en adelante. ¿Mentiritas?

—No —dije.

—¿Cómo, no? ¿A don Magín que es un confesor, te atreves...?

—No son mentiras, doña Concha —don Magín guiñó el ojo sano—, es que dice unas cosas por otras.

En posición: ¡descansen! El caballo iba y venía entre ellos.

La abuela dijo:

—Da gusto ver a los de caballería.

Media vuelta a la derecha.

La señorita venía con un abrigo gris de espiga ancha.

—Subir hasta aquí arriba tan temprano. Esa cuesta de la Atalaya.

Frotaba una mano con la otra. Los guantes de punto las dejaban señaladas como de viruelas.

—No puedo con el reuma, ya se lo dije a vuestra mamá, madrugar me balda.

Pilló el gesto de burla que me hacía Ana. La dio un manotazo.

—Que no os veáis nunca como yo me veo. Yo vivía como vosotras. Mi abuelo...

Se puso roja, roja.

—A cualquiera le puede pasar.

Se quedó un rato sin dictar, con la cabeza baja, mirando al libro abierto. Se le veía la raya tan derecha en la mitad del pelo cada día más blanco. No empezaba. Chupábamos los mangos de las plumas.

Ana me dijo, camino del comedor, a la hora de la cena:

—Se ha colocado en un colegio para acompañar niñas a la salida.

—¿Cuándo se va?

—No nos caerá esa breva.

Lentas hojas de los plátanos que iban descarnándose tan despacio, corteza más seca, más rugosa, más costra. Gemía el sur. Pero la señorita bajaba con sur y todo.

—¿Podemos asomarnos a la huerta?

—No.

—¿Podemos coger una pera?

—No. ¿Qué pera?

—Venancio tiene peras de invierno.

Dijo:

—Vamos todas.

Abrió la cancilla, fue, cruzándose mucho el abrigo, por el sendero que dividía los frutales. Se agachó para recoger la fruta caída.

—A ver, una cada una.

La pera sabía diferente, un poco pasada. Diferente. Miré de reojo el ancla herrumbrosa del Machichaco. Nos dimos media vuelta.

—Ale, ya está. Ahora a ser obedientes.

Clota llevaba varias peras en el delantal subido por los bordes.

—Cuidado, se te suben las faldas.

Le llenó el bolso de la labor. La besó, cogiéndola la cara entre las dos manos.

—Qué corazón tienes, nena. Eres lo mejor de la casa.

Ana arrastrándose sobre los bancos, con desgana.

—Si no estoy mala. Quiero que me dejen en paz.

Se mordía las uñas.

—Si te digo unas cosas, Tadea.

Pareció que lo iba a soltar. Se volvió atrás.

—Son pecado.

Nos quedamos mirándonos a los ojos, con la palabra temblando entre nosotras como una hoja de acero clavada en tierra, como el vapor del aire de verano.

—¿Tampoco tú quieres jugar? ¿Sabéis que estáis buenas?

—¿Pero a qué juego sola?

Se cruzó más el abrigo.

—Las niñas no se aburren.

Los ojos de Tomasa siguiéndome, pegándoseme a la espalda; la mirada furtiva de Francisca, azarada de Obdulia,

—...que no se entera la cría.

—La dejó la cómoda a ella.

los párpados enrojecidos de Patrocinio. Besaba la cruz del rosario. Cerrar los oídos a la palabra «dejar». No enterarme. No quiero.

—...como un pajarito.

La escalera. Subir. Setenta y seis escalones. Contados. Uno a uno.

—Se la dejó.

(¡Callaros! Borrar «la dejó». No existe.)

La cómoda en el pasillo, panzuda, aldeana, rodeada de astillas de embalaje.

—Llévense todo esto a la cocina. Cómo viene de polvo.

—Tadea, coge esa gamuza y quítale un poco el polvo.

—¡Yo abuelita!

—No, Clota, que lo haga Tadea.

Un silencio entre las palabras, frío, agudo, como el viento que entraba por las rendijas de las ventanas. Calaba adentro.

—¿Aquí te parece, mamá? —preguntó tía Concha.

—Más al centro —dijo tío Juan, saliendo de su cuarto—. Es muy graciosa.

—Tan basta.

—Mira, la línea tan simple. —Abrió los cajones—. Y huele... Acercaros, niñas, mirad qué olor.

La cómoda. Hacía daño. Podían tocarla. (—Jesús, mi casa... La casa de una pobre, niña. Sólo tengo que valga una cómoda.)

—Guardaría su ropa entre manzanas, como hacen en las aldeas.

(—¿Mejor que ésta?

—Mejor. Toda de cerezo.)

—Sacude primero el polvo, si no, la rayas.

—La brillas mientras vamos a cenar. Vosotras, a la cama, Tadea...

Detrás de Ana, tapándome con Ana, estrujando la gamuza. Pisadas de los tíos bajando las escaleras, las primas se alejaban, las sentía, aunque estaba de espaldas. Lentamente, suavemente, el paño sobre la madera.

—...dice el párroco que no sufrió. Se la encontraron...

Dar con furia a la madera, no oír, tararear. «De noche no puede ser.» Uno, dos tres cajones grandes. Dos pequeños arriba, a un lado y otro. Las sienes estallando. «Que me rinde el amor.» Arriba y abajo, la gamuza en la mano. Por encima del esfuerzo sobre la gamuza, por encima de la soledad del pasillo, por encima del cerrarse, del «no quiero», aquel dolor sin nombre, desprendiéndose de mí, sintiéndole desprenderse, un adiós largo, enorme, voceado en la noche helada de estación desierta, perdida, como si mi corazón fuesen las bielas de un tren en marcha.

Yo no sé lo que traes entre pecho y espalda.

Nunca la hablé de Julia.

Entre pecho y espalda aquel adiós, un peso, algo que no había antes, o que había y no me había dado cuenta. Subía el olor de los cajones cerrados. Tiré del de arriba, agarrándole por las dos asas, cedió inmediatamente, se volcó un poco, estaba vacío. Asperiega, meladucha, reineta, calvilla, camuesa, fada. Hundí la cabeza en él. Olía. Olía. El olor me llenaba la cabeza. Ancho campo del mundo —me latían las sienes a romperse, el olor daba vueltas— a través de una mujer humilde, del regazo caliente de su bata. Tabardilla, reineta. Tristura... Era exacto. Y roencia también. El olor dentro, ahora, pujando por caminos, por árboles, correr. Eran olor y amor de una persona, perdidos, corazón apretado por la muerte —sabía qué era muerte—, con las sienes ardientes, oprimidas, feroz deseo de taponarme los oídos, de romper desde el pecho todos los límites del mundo de mi casa, desgarrarme de aquello que me ataba, altos árboles, correr, correr.

—¿Todavía no has terminado, chiquilla?

Cerré el cajón despacio, sin ruido.

—¿A dónde vas por ahí?

Reineta, camuesa, fada. ¿No me olía?

—Tengo hambre.

Francisca me miró pegada.

—¿Es posible?

El corazón roído por la muerte, ahora sabía qué era muerte... Y ansia, ansia, ansia.

OTROS TÍTULOS PUBLICADOS EN ESTA COLECCIÓN

DE AMOR Y DE SOMBRA
Isabel Allende

En el frontispicio de esta nueva gran creación literaria de Isabel Allende, se lee: «Ésta es la historia de una mujer y un hombre que se amaron en plenitud, salvándose así de una existencia vulgar. La he llevado en la memoria cuidándola para que el tiempo no la desgaste, y es sólo ahora, en las noches calladas de este lugar, cuando puedo finalmente contarla. Lo haré por ellos y por otros que me confiaron sus vidas diciendo: toma, escribe, para que no lo borre el viento.» Estas hermosas palabras introductorias comienzan por dar la clave de un libro en el que la imaginación y la realidad corren parejas hacia el logro tanto de una indiscutible obra de arte literaria como de un testimonio histórico.

Un conmovedor testimonio de muy trágicas situaciones que lamentablemente aún se siguen viviendo en determinadas zonas hispanoamericanas. Isabel Allende no pretende denunciar lo ya sabido, sino —mediante un exquisito arte de novelista— ahondar en el sentido de todo lo que pasa, hacerlo más patente en su dramatismo. Situaciones reales y situaciones imaginadas a partir de la realidad, así como un canto de amor para salvarse «de una existencia vulgar», esta segunda novela de Isabel Allende responde tanto al grande y reconocido talento de su autora, como a la exigencia —por parte de ella misma y de sus numerosísimos lectores— de mostrarse a la altura de calidad con que inició su carrera literaria.

Los hechos que se narran con patética sobriedad, con belleza creadora, con horror unas veces y otras veces con ternura esperanzada, hacen de «DE AMOR Y DE SOMBRA» otro libro que si es un hito fundamental en la carrera de Isabel Allende, nuevamente lo es en el ámbito de las letras en lengua española.

CANTAR DE AGAPITO ROBLES
Manuel Scorza

Esta cuarta parte de la pentalogía épica que es «La Guerra Silenciosa», revela una vez más el gran talento narrativo de su autor, la gran capacidad de evocación de un mundo y de unos hechos patéticos. Al mismo tiempo Manuel Scorza nuevamente muestra, y de modo muy peculiar, una gran capacidad imaginativa que permite aceptar como reales unos hechos fabulosos que se incrustan, y a la vez lo sustentan, en un relato de violencia, pero en muchas ocasiones de ternura y también de sátira.

El «Agapito Robles» de este «cantar» es otro héroe en la guerra que, según Scorza, «opone», desde hace siglos, a la sociedad criolla del Perú y a los sobrevivientes de las grandes culturas precolombinas. Digna continuadora de las anteriores del ciclo iniciado con *Redoble por Rancas,* este también épico *Cantar de Agapito Robles* nos ofrece los resultados, tal vez positivos, de la lucha contra una opresión simbolizada por el ominoso «juez Francisco Montenegro», que puede parar el tiempo, detener el curso de los ríos...

«Agapito Robles» consigue lo que no habían logrado los otros héroes del ciclo, y el tiempo y los ríos vuelven a fluir. Pero... Esta novela —que como todas las del ciclo puede leerse por separado de las demás, por tener entidad propia— posee valor literario de primera magnitud, y constituye también un cuadro histórico en el que de pronto aparece la realidad como alegato.

Un «Agapito Robles» carismático y a la vez hombre sencillo, valiente, que no renuncia a su poncho multicolor, que afirma una presencia de combate por una justicia reclamada desde hace más de dos siglos y medio, que «decidió que Yanacocha no imploraría nunca más», y su decisión fue aprobada y ejecutada por toda una comunidad decidida al combate. Solamente con *Cantar de Agapito Robles* se hubiera afirmado Manuel Scorza como un gran novelista.

AMAMI, ALFREDO!
Terenci Moix

La tercera de las obras de Terenci Moix que «Plaza & Janés» acoge en su colección «Literaria», se subtitula «Polvo de estrellas» para, según el mismo autor, disociarla de cualquier género establecido. «La ironía preside, pues, el juego», dice Terenci Moix, en esta narración en la que la gran ópera y el «mal cine» del sábado por la tarde confluyen para crear un conjunto mítico, asaeteado por una comicidad a veces tierna, a veces brutal. Novela escrita «en libertad absoluta», también en frase del narrador, *Amami, Alfredo!* es un homenaje al melodrama de otros tiempos, y debe mucho al «nonsense», así como al absurdo total. Un divertimento a veces bárbaro, salpicado con las meditaciones usuales en Terenci Moix: el Tiempo, la Muerte, el sexo omnipresente, el dolor, la pugna, entre el arte y la vida...

Tres logradísimos personajes interpretan la novela: la cantante Medora di Sansepolcro; un modista jorobado, homosexual y extremadamente feo: Robertino Bergamasco; y Zoe la Rouge, secretaria de la diva, y obsesionada por el sexo masculino. Esta novela reivindica la conversación como parte de un relato cuya acción hay que leer entre líneas. En plena apariencia de disparate, triunfa el profundo sentido de un universo mítico que se encarna en la ópera y en el cine. *Amami, Alfredo!* en cierto modo complementa la anterior novela de Terenci Moix: *Nuestro Virgen de los Mártires,* por cuanto los protagonista buscan continuamente la salida a un debate vital angustioso. Nos encontramos ante una creación absolutamente original en la novelística española contemporánea. En ella el autor juega constantemente con el lector, y al final se arranca, como sus personajes, la máscara. La revelación es que existen, como en la ópera «Turandot», muchos más enigmas que los que se suponía al principio. Tras los personajes de Bellini, tras las más mediocres películas de Lana Turner, se esconde una última verdad cuya búsqueda preside esta execelente novela de Terenci Moix.

Este libro se imprimió en los talleres
de Printer Industria Gráfica, sa
Sant Vicenç dels Horts
Barcelona

Este libro se imprimió en los talleres
de Printer Industria Gráfica S.A.
Sant Vicenç dels Horts
Barcelona